De Jackie Robinson à Felipe Alou

SOUVENIRS DE MONTRÉAL, DE BASEBALL ET DES EXPOS

Danny Gallagher

De Jackie Robinson à Felipe Alou

Adaptation de
Ronald King

SOUVENIRS DE MONTRÉAL, DE BASEBALL ET DES EXPOS

*Les Éditions Les 400 coups remercient le Conseil des Arts
du Canada du soutien qui leur est accordé dans le cadre
du programme des subventions globales aux éditeurs, et la
SODEC pour son appui financier en vertu du programme
d'aide aux entreprises du livre et de l'édition spécialisée.*

Les photos de ce livre sont tirées des archives du journal *La Presse*
et ne peuvent être reproduites sans la permission écrite de *La Presse*.

Cet ouvrage a été publié sous la direction de Marc Robitaille
Conception graphique : Mardigrafe inc.
Mise en pages : Mardigrafe inc.
Correction : Guy Raymond
Photos : Journal *La Presse*

Édition originale : You Don't Forget Homers Like That
© Scoop Press, 1997

© Les Éditions Mille-Îles
1975, boul. Industriel
Laval (Québec) H7S 1P6

Diffusion au Canada :
Diffusion Dimedia inc.
539, boul. Lebeau
Saint-Laurent (Québec) H4N 1S2
Téléphone : (514) 336-3941
Télécopieur : (514) 331-3916

Dépôt légal 4ᵉ trimestre 1998
Bibliothèque nationale du Québec
Bibliothèque nationale du Canada

ISBN 2-920993-34-8

« LES NÈGRES SONT-ILS DES ÊTRES HUMAINS ? »

Chapitre 1

« LES NÈGRES SONT-ILS DES ÊTRES HUMAINS ? »

Les derniers moments de Jackie Robinson avec les Royaux de Montréal ont été émouvants. La foule du stade De Lorimier s'est carrément ruée sur le terrain pour le porter en triomphe après qu'il eut permis au club de remporter la Petite Série mondiale de 1946.

Les gens s'accrochaient à son uniforme, ils le serraient dans leurs bras, chacun voulait lui donner une tape dans le dos et Robinson, en larmes, a eu droit à un tour d'honneur sur le terrain du stade, transporté par ses fans.

Il a même dû les supplier de le laisser partir parce qu'il devait prendre l'avion ce soir-là. Mais lorsque Robinson est sorti du stade en habits de ville, une autre foule l'attendait. Il a couru dans la rue Ontario pour s'enfuir jusqu'à ce qu'un automobiliste l'invite à monter pour le conduire à son hôtel.

« Papa voulait s'enfuir, il ne savait pas exactement ce que ces gens dans la rue lui voulaient… », raconte Sharon Robinson dans un livre publié en 1996. Un journaliste de Pittsburgh, Sam Maltin, a expliqué ainsi la scène à ses lecteurs : « C'était la première fois de l'histoire qu'un Noir était poursuivi par un groupe d'hommes blancs qui voulaient le féliciter plutôt que le lyncher… »

« Je n'ai pas vu mon mari courir dans la rue parce que j'avais moi-même du mal à sortir du stade, se souvient Rachel Robinson. Nous avons de bons souvenirs de Montréal. L'ambiance autour de nous était positive et l'accueil fait à Jackie a été presque parfait. Je me souviens que les Montréalais étaient pleins de délicatesse envers moi parce que j'étais enceinte de notre premier enfant. »

Le plan de Branch Rickey, patron des Dodgers de Brooklyn dont les Royaux étaient la filiale AAA, avait parfaitement réussi : l'entrée d'un Noir dans le baseball professionnel blanc devait se réaliser à Montréal, où le racisme était moins présent qu'aux États-Unis.

Le 28 août 1945, Branch Rickey convoquait Jackie Robinson à son bureau de New York pour lui faire part de son projet. La rencontre a duré trois heures. Rickey voulait un superbe athlète mais aussi un homme qui pourrait supporter une série d'humiliations.

— Monsieur Rickey, si je comprends bien, vous voulez un joueur noir qui répondra coup pour coup ? demanda Robinson.

— Non, je veux un joueur noir qui ne répondra à aucune provocation.

Deux mois plus tard, Branch Rickey annonçait au monde du baseball son audacieux projet. Le gérant des Royaux, Clay Hopper, a vite montré que l'affaire ne serait pas simple. Furieux, Hopper posa à Rickey une question devenue célèbre : « Croyez-vous que les nègres sont des êtres humains ? »

Le gérant des Royaux allait ravaler ses paroles au cours des prochains mois : Jackie Robinson, le fils d'un fermier de Cairo, en Géorgie, a remporté le championnat des frappeurs de la Ligue internationale en cette saison 1946 avec une moyenne de .349, en plus de marquer 113 points, d'en produire 66 (du deuxième rang dans le rôle des frappeurs) et d'étourdir ses adversaires avec des vols de but alors qu'ils s'y attendaient le moins.

Cette année-là, les Royaux terminaient au premier rang avec 19 matchs d'avance et Robinson était désigné le joueur par excellence du circuit.

À son premier match dans l'uniforme des Royaux, le protégé de Branch Rickey a frappé un circuit et trois simples. La rencontre avait lieu à Jersey City, tout près du bureau des Dodgers à Brooklyn. « C'est une belle façon d'entrer dans le baseball organisé », a simplement commenté Rickey qui avait choisi d'assister au match des Dodgers afin d'éviter un surplus de pression à Robinson.

Mais avant ces moments glorieux, la recrue des Royaux avait comme prévu encaissé une série de dures humiliations, notamment au cours du camp d'entraînement en Floride.

À Baltimore, dans la ville la plus au sud de la Ligue internationale, une foule a encerclé le vestiaire des Royaux. « Sors de là, Robinson ! Nous savons que tu es là et nous aurons ta peau de sale nègre ! » Selon des témoins, trois joueurs des Royaux sont demeurés aux côtés de leur coéquipier, enfermés dans le vestiaire, jusqu'à ce que la meute se disperse.

Durant les Petites Séries mondiales, disputées à Louisville, au Kentucky, Robinson était insulté chaque fois qu'il mettait le pied sur le terrain et hué par la plupart des spectateurs chaque fois qu'il se présentait au marbre.

Mais les débuts en Floride l'avaient bien préparé. « On lui a refusé l'accès à un stade et dans une autre ville il a carrément dû s'enfuir avant le match », racontait plusieurs années plus tard sa veuve Rachel.

Au cours d'une partie hors concours à Sanford, en Floride, Robinson vola le marbre, une de ses spécialités. Mais lorsqu'il se releva, il se trouva devant le chef de police de Sanford qui menaçait de le jeter en prison s'il ne sortait pas du stade immédiatement. « Dans mon comté, les nègres ne jouent pas sur le même terrain que les Blancs... »

« Cette époque a été vraiment très dure », se souvient toujours Rachel.

« Jackie ne pouvait habiter à l'hôtel avec ses coéquipiers. On le plaçait dans une famille d'accueil. Les hôtels de Floride n'acceptaient pas les Noirs. »

Rachel et Jackie Robinson s'étaient rencontrés sur le campus de l'université UCLA, à Los Angeles, où Jackie était déjà une vedette, excellant dans quatre sports : l'athlétisme, le basketball, le football et le baseball. La jeune femme, étudiante en techniques infirmières, le trouvait « très sûr de lui. Pas hautain, mais très sûr de lui. »

Ce ne fut pas le coup de foudre. Après quelques brèves rencontres, une première sortie fut planifiée. « Nous avons été fiancés pendant cinq ans parce que Jackie était dans l'armée et moi à l'université. »

En 1947, Jackie Robinson devenait le premier Noir du baseball majeur. Il s'est joint aux Dodgers après un court séjour dans les mineures et a été placé au premier but plutôt qu'au deuxième, sa position naturelle. Robinson, de plus, recevait de nombreuses lettres de haine, des menaces de mort, des appels anonymes, des insultes de spectateurs, d'adversaires et même de coéquipiers.

La plupart des hôtels lui fermaient leurs portes. Un hôtel de Cincinnati lui permit de dormir dans une chambre mais lui interdit de prendre ses repas au restaurant et surtout de se rendre à la piscine. Jim Cannon, un célèbre journaliste du *New York Daily News,* écrit cette année-là un article sur « un homme tout à fait seul ».

À un certain point, Robinson confia à des amis qu'il n'en pouvait plus. Mais il persista et après un difficile début de saison, il remporta le titre de « Recrue par excellence » avec une moyenne au bâton de .297, 12 circuits et 48 points produits. De nos jours, le trophée remis à la meilleure recrue porte son nom.

Sa performance s'améliora en 1948, mais en 1949, il sortit de sa coquille et fut proclamé « Joueur par excellence » de la Nationale avec une moyenne de .349, 16 circuits, 38 doubles, 12 triples et 124 points produits. Il n'a jamais été retiré au bâton plus de 40 fois par saison — une statistique fort éloquente —, a frappé pour plus de .300 six ans de suite et a été élu dans l'équipe d'étoiles six fois.

En 1962, Jackie Robinson réussissait une autre première : il entrait au Temple de la renommée du baseball.

« Mon père était un joueur spectaculaire, se souvient Sharon. Il dansait entre les buts et pouvait voler à n'importe quel moment. Il était magnifique quand il volait le marbre, le jeu le plus audacieux du baseball. »

Il reste que l'année 1946 passée à Montréal a été cruciale dans la carrière et la vie de Jackie Robinson. Son moral avait besoin d'un remontant et les partisans des Royaux le lui ont offert.

Quarante ans plus tard, la Ville de Montréal érigeait une statue en son honneur sur le terrain de l'ancien stade De Lorimier. En 1987, elle a été déplacée et se trouve maintenant aux abords du Stade olympique. Cette très belle sculpture provoqua pourtant un petit conflit, l'inscription étant en français seulement.

En 1996, Montréal organisa trois jours de célébrations, avec Rachel Robinson comme invitée d'honneur. On créa le Fonds Jackie-Robinson, qui offre des bourses d'études à des étudiants défavorisés et qui est maintenant dirigé par Sharon, une enseignante devenue gestionnaire. Le 5 mai, alors que les Expos recevaient les Dodgers de Los Angeles, le numéro 42, porté par Robinson, fut retiré. Ce nombre est d'ailleurs affiché sur la clôture du champ extérieur au Stade olympique.

Oliver Jones, célèbre pianiste noir originaire de Montréal, a joué ce soir-là les hymnes nationaux alors que Kim Richardson, chanteuse noire d'Ottawa, offrait des interprétations que les spectateurs ne sont pas près d'oublier.

Le lendemain, l'UQAM et l'université Concordia organisaient un symposium à trois volets : le rôle de Jackie Robinson dans le combat contre le racisme au baseball ; son influence dans l'émancipation des Noirs américains ; la confirmation de Montréal comme ville cosmopolite.

De son côté, le commissaire du baseball majeur décréta que la saison 1997 serait dédiée à Jackie Robinson ; joueurs et officiels ont porté à leur uniforme un écusson rappelant l'entrée historique du premier joueur noir.

Les noms de Robinson et de Montréal sont à jamais liés.

DU PARC LAFONTAINE
AU PARC JARRY...

Chapitre 2

DU PARC LAFONTAINE
AU PARC JARRY...

Un jour de printemps 1954, Claude Raymond a préparé un sac d'équipement et s'est mis à marcher. De Saint-Jean-sur-Richelieu au parc Lafontaine, au cœur de Montréal, il y a une trentaine de kilomètres à parcourir. Le jeune aspirant lanceur les a franchis à pied et en stop. Mais il a été déçu une fois arrivé à destination.

« Il s'est mis à pleuvoir quand j'ai trouvé l'équipe locale, les Juniors de Château Royal. Il a plu pendant seulement 10 minutes mais le gérant en a profité pour me dire qu'il n'avait pas besoin de lanceur. Quelqu'un dans le groupe m'a appris qu'une autre équipe cherchait des joueurs, une équipe qui évoluait au parc Jarry, dans le nord de la ville. »

En suivant les directions qu'on lui avait fournies, Raymond s'est remis à marcher. Plusieurs années plus tard, il a fait le même trajet en voiture et noté que la distance était de six kilomètres.

Au parc Jarry, on lui a accordé un essai, avec le joueur de troisième but, Roy Cherrier, comme receveur. Après quelques lancers qui ont chauffé la main de Cherrier, ce dernier a appelé le vrai receveur du club, Duncan Campbell. Raymond a ajouté quelques longs coups au bâton pour montrer qu'il était un joueur complet et il a signé un contrat de deux ans. C'était le début d'une étonnante carrière. À la fin de l'été de 1954, des dépisteurs des Giants de New York, des Cards de Saint Louis, des Indians de Cleveland, des Dodgers de Los Angeles et des Braves de Milwaukee se rendaient régulièrement au parc Jarry pour l'observer.

« On m'a amené au stade De Lorimier pour un entraînement avec les Royaux. Certains de leurs joueurs n'aimaient pas ma façon de lancer ; je brisais leur bâton, je faisais des dégâts. Ils ont fini par m'offrir un contrat. »

Mais les Dodgers, propriétaires des Royaux, ont perdu leur jeune découverte à cause d'un détail administratif : Raymond a été déclaré joueur autonome parce qu'il n'avait pas terminé ses études secondaires. « Les Dodgers devaient demander la permission du commissaire George Trautman mais ils ne l'ont pas fait. J'ai tout de même pu garder le bonus de 250 $ qu'ils m'avaient accordé. »

C'est à ce moment que Roland Gladu, un des rares Québécois à avoir évolué dans les ligues majeures de baseball, est apparu à titre de représentant des Braves de Milwaukee. L'offre de contrat ne ressemblait en rien à celles d'aujourd'hui : 165 $ par mois, un bonus de 250 $ à la signature, 250 $ si Raymond avait toujours un poste le 1er juin et 500 $ s'il tenait encore son bout le 1er août !

« Gladu est venu chez moi à Saint-Jean pour rencontrer ma famille. Mon père m'a demandé si je voulais demeurer avec le club de Saint-Jean, dans la Ligue provinciale, ou si je voulais devenir joueur de baseball… Les gens du village ont mal pris la chose ; ils comptaient sur moi pour mener leur équipe cet été-là. »

En mars 1955, Claude Raymond et deux autres Québécois, Ronald Piché et George Maranda, se sont rendus à la Gare centrale de Montréal pour y prendre un train en direction de la Georgie, via Boston et New York.

« Je me suis aperçu que le Canadien de Montréal était dans le même train que nous. J'avais 17 ans et j'ai serré la main de Maurice Richard, Butch Bouchard, Doug Harvey et toutes ces grandes vedettes. Je les considérais presque comme des dieux. Le lendemain, Maurice Richard était suspendu pour le reste de la saison pour avoir bousculé un officiel à Boston. »

En 1955, le baseball mineur comprenait un niveau D et Raymond a été placé dans un club de West Palm Beach, où il a pu empocher ses bonis grâce à une fiche de 13-12, une moyenne de points mérités de 2,60 et 180 retraits sur des prises en 194 manches. L'année suivante, dans l'Indiana, ses performances demeuraient solides et Raymond était transformé en spécialiste de la relève, un tout nouveau métier à l'époque. De bonnes saisons à Jacksonville et à Wichita ont suivi et les clubs des majeures ont finalement montré de l'intérêt.

En décembre 1958, les White Sox de Chicago ont conclu une entente avec les Braves de Milwaukee, et Claude Raymond participait à ses premiers matchs dans les majeures. Mais la marche était trop haute et les White Sox l'ont libéré à la fin de la saison. « Je n'étais pas prêt. Les lanceurs du temps atteignaient les majeures à 27-28 ans et j'avais 21 ans. Le gérant des Sox, Al Lopez, m'a annoncé la nouvelle en tentant de me convaincre de retourner dans les mineures. Mais j'ai choisi l'organisation des Braves, qui était prête à m'accueillir. »

À Louisville, Raymond évoluait au champ droit quand il ne lançait pas. Sa moyenne au bâton de .373 a surpris ses patrons. Ronald Piché et George Maranda faisaient partie du même club.

Raymond a ensuite joué à Sacramento, Vancouver et Toronto, où il a appris à maîtriser le changement de vitesse. Tout a changé pour lui à ce moment-là.

« J'ai finalement atterri à Milwaukee, avec les Braves. À ma première sortie comme releveur, j'ai remplacé le grand Warren Spahn. Il s'est mis en colère, il ne voulait pas quitter le monticule. Lui et l'autre vedette des Braves, Lew Burdette, voulaient toujours terminer leur match. Mais j'ai protégé l'avance de Spahn et il s'est excusé après la partie.

« Le lendemain, je venais en relève à Burdette qui protestait lui aussi. Mais j'ai encore bien fait et lui aussi s'est excusé. »

Le gérant des Braves, Birdie Tebbetts, a rappelé Piché peu de temps après et il a offert aux deux Québécois, pour les déplacements du club, des compagnons de chambre de premier plan : Burdette pour Raymond et Spahn pour Piché.

En octobre 1963, lors du repêchage spécial d'expansion visant à constituer les deux nouvelles équipes — les Mets de New York et les Colts .45 de Houston, ancêtres des Astros —, Raymond a été réclamé par Houston pour 30 000 $. Le garçon de Saint-Jean a passé quatre saisons au Texas et, en 1966, il était élu parmi les étoiles de la Ligue nationale grâce à 19 matchs sauvegardés et une moyenne de points mérités de 1,12.

En 1967, les Braves, qui avaient déménagé à Atlanta, l'ont acquis par voie de transaction jusqu'à ce qu'une autre nouvelle concession, les Expos de Montréal, obtiennent le lanceur de Saint-Jean en échange d'une somme d'argent en 1969.

« Je n'avais pas bien lancé pour les Braves, et le gérant Luman Harris préférait Cecil Upshaw, un de ses protégés, comme releveur numéro un. Je me suis amené à Montréal avec l'intention de laver ma réputation. Pas parce que j'étais Canadien ou Québécois mais parce que j'étais un joueur des ligues majeures. Je voulais que les gens de chez nous me voient à mon mieux. »

Mais chez les Expos, Gene Mauch n'avait aucune confiance en son nouveau releveur et l'année suivante, en 1970, il l'a laissé sur le banc jusqu'au 28 avril. « J'étais le seul lanceur de l'équipe qui n'avait pas encore vu d'action. Ce soir-là, j'ai protégé la victoire de mon compagnon de chambre, Carl Morton. Le lendemain, j'ai protégé une autre victoire et le lendemain une autre. Trois victoires sauvegardées en trois jours ! »

Mauch avait mal évalué la détermination de son vétéran releveur, mais il s'est racheté par la suite. Claude Raymond a assuré 23 victoires aux Expos pendant le reste du calendrier et il est devenu l'un des favoris de la foule dans ce parc Jarry qui l'avait accueilli 16 ans plus tôt. L'organiste du petit stade, Fernand Lapierre, saluait en grande pompe l'enfant du pays lorsqu'il sortait de l'enclos des releveurs situé au champ gauche. « J'ai eu droit à plus d'ovations debout que n'importe quel autre joueur cette année-là. Le baseball était nouveau à Montréal et les gens se sont vite identifiés à moi. C'était une période merveilleuse. J'ai prouvé que je n'étais pas un lanceur fini malgré ce que plusieurs observateurs croyaient. »

Mais en 1971, Gene Mauch a décidé que Mike Marshall serait son releveur de fin de match. Raymond a sauvegardé un seul match au cours de l'été et sa fiche de fin de saison était de 1-7. Marshall a connu beaucoup de succès avec 23 victoires protégées.

« J'étais devenu le 10e lanceur des Expos et l'inactivité déréglait mes mouvements. Je lançais de moins en moins bien. Mauch aimait Marshall et c'était tout. Il lui remettait la balle et ne m'accordait aucune chance. Je lançais une fois par semaine ou à tous les 10 jours. »

Les Expos ont libéré Raymond en janvier 1972. Le lanceur de 34 ans a offert ses services aux Yankees, aux Tigers, aux Mets et aux White Sox mais aucun club n'a montré d'intérêt. « Billy Martin était le gérant des Tigers de Detroit et il m'a demandé combien d'argent je désirais. J'ai répondu que je ne voulais pas d'argent, que je voulais seulement lancer… »

C'était la fin pour Claude Raymond, après 83 victoires protégées, une fiche de 46 victoires et 53 défaites et une moyenne de points mérités de 3,66. Mais les partisans des Expos le voient toujours dans son rôle de commentateur à la télévision et les aînés doivent apprendre aux plus jeunes que ce monsieur a été et demeure le meilleur baseballeur que le Québec ait connu.

LE RÊVE MODESTE
DE RONALD PICHÉ

Chapitre 3

LE RÊVE MODESTE
DE RONALD PICHÉ

Ronald Piché a grandi dans les rues et les parcs de Verdun, en banlieue de Montréal, et le baseball occupait la plus grande partie de son temps et toutes ses énergies. Il rêvait de porter un jour les couleurs de l'équipe junior du coin. Ce qui s'est produit par la suite l'étonne encore aujourd'hui.

Piché a passé six saisons dans les ligues majeures avec les Braves de Milwaukee, les Angels de la Californie et les Cardinals de Saint Louis. Il a lancé dans 110 matchs, sa fiche en carrière est de 10-16 avec une moyenne de points mérités de 4,19. Piché n'a jamais été un joueur vedette, mais il a toujours bien servi son équipe.

Comme son compagnon Claude Raymond, Piché a été embauché en 1954 par Roland Gladu, dépisteur des Braves de Milwaukee au Québec et ancien joueur des Braves de Boston. Gladu a repéré son homme alors qu'il évoluait avec l'équipe junior de Verdun.

« Quand j'ai signé mon contrat, je me voyais déjà chez les Braves, en compagnie de Warren Spahn et Lew Burdette. Je rêvais… »

Comme Raymond, Piché a beaucoup voyagé avant d'atteindre son but. Il a grimpé un à un les niveaux du baseball mineur de l'époque. Le D en Oklahoma, le C au Wisconsin, le B en Indiana, le A en Floride et, enfin, le grand saut dans le AAA à Louisville, au Kentucky. Comme Claude Raymond, les dirigeants des Braves l'ont transformé en releveur et, cinq ans après avoir quitté Verdun, Ronald Piché arrivait à Milwaukee.

« J'étais surpris parce que les Braves avaient déjà Spahn, Burdette et Don MacMahon dans leur groupe de lanceurs. Je ne pensais pas qu'il y aurait une place pour moi. Je me souviens d'avoir été ému en serrant la main de Hank Aaron et d'Eddie Matthews.

« Spahn a été bon pour moi. On m'avait confié à lui ; nous étions compagnons de chambre lors des voyages. Il aurait pu refuser, mais il m'a dit qu'il voulait m'aider. C'était un homme en or. MacMahon m'a également pris sous son aile. Il était enfant unique et me traitait comme un jeune frère. Nous étions très proches. Je dois beaucoup à ces deux hommes.

« Il y avait seulement huit équipes dans la Nationale et huit dans l'Américaine à cette époque. Les postes étaient rares et les Canadiens devaient avoir beaucoup de chance pour se tailler un poste.

« J'ai connu ma meilleure journée en septembre 1963 contre les Giants de San Francisco. J'ai lancé les 11 manches qu'a duré le match et nous avons gagné 3-2. Il fallait affronter Willie Mays, Willie McCovey et Orlando Cepeda…

« Une autre fois, j'ai retiré 18 frappeurs des Phillies dans l'ordre. »

John McHale était le directeur général des Braves et, en 1964, il a limogé celui qu'il devait embaucher, plusieurs années plus tard, à Montréal. « McHale m'a convoqué à son bureau et il m'a fait savoir qu'il avait besoin d'une place pour un jeune lanceur qui brûlait les étapes dans les mineures. Il s'agissait de Phil Niekro… »

Piché a passé l'été de 1964 avec les Maple Leafs de Toronto, dans la Ligue internationale, où il est devenu la grande vedette du club. Les Leafs ont même décrété une « Journée Ron Piché » en plus de lui faire cadeau d'une voiture. L'année suivante, le droitier passait aux Angels de la Californie avec, comme receveur, Buck Rodgers. Les Angels l'ont libéré à la fin de la saison et Piché s'est rendu à Saint Louis. La saison 1966 a été sa dernière dans les majeures : une fiche de 1-3 avec une moyenne de points mérités de 4,26.

Piché a passé les trois années suivantes au niveau AAA avec les clubs de Tulsa, Tacoma et Syracuse. Les Cards l'ont échangé aux Cubs de Chicago, mais il est demeuré dans leurs filiales.

Quand Montréal a obtenu une concession en 1968, il a été l'un des premiers à se joindre au bureau des relations publiques, où il travaille toujours. Pour les Expos, il a aussi été dépisteur au Canada, directeur des ventes et gérant du parc Jarry. En 1976, on le trouvait au troisième but, comme entraîneur sous les ordres du gérant Karl Kuehl. « Il me manquait huit jours de travail dans les ligues majeures pour avoir droit à une pension. John McHale a réglé la question en me nommant entraîneur. Malheureusement, la saison 1976 a été l'une des pires des Expos. Nous avons perdu 107 parties. Nous avions un club jeune, il fallait rebâtir et nous avons souffert… »

À 63 ans, Piché est ambassadeur des Expos, mais on le voit souvent lancer, au milieu de l'après-midi, pour les joueurs qui veulent améliorer leur coup de bâton. Sa rapide bouge toujours…

Dans la grande famille des Expos, tous ceux qui ont côtoyé Ronald Piché au fil des années se souviennent de sa gentillesse et de sa bonté.

« J'ai été chanceux dans la vie et je ne l'oublie pas… »

Warren Spahn et Ronald Piché

Raymond Daviault

DEUX QUÉBÉCOIS
CHEZ CASEY STENGEL

Chapitre 4

DEUX QUÉBÉCOIS
CHEZ CASEY STENGEL

C'était au camp d'entraînement des Mets en 1962, le tout premier pour cette équipe de l'expansion. Les médias de New York, venus bien sûr en grand nombre, entouraient le gérant Casey Stengel lorsque le « Professeur » a appelé un de ses joueurs : « Daviault, viens ici, je veux te parler seul à seul. »

Raymond Daviault, un jeune homme de Pointe-aux-Trembles, a figé sur place. Quand il s'est approché du légendaire homme de baseball, il se sentait comme une star poursuivie par des paparazzi. « Je me demandais ce que j'avais fait de mal. Et j'étais surpris parce que Stengel avait bien prononcé mon nom, "Da-vi-o", alors que les autres Américains avaient l'habitude de le massacrer. »

« As-tu déjà joué au hockey ? voulait savoir le Professeur. J'ai vu un match des Rangers au Madison Square Garden cet hiver et j'ai remarqué un certain Jean Béliveau. Quel athlète ! »

« Nous avons parlé de hockey, du Canadien et de Béliveau pendant une dizaine de minutes, se souvient Daviault. Et puis Stengel m'a ordonné de dire aux journalistes que la teneur de notre conversation devait demeurer secrète. *"Top secret."* Les journalistes ont finalement écrit que je serais peut-être le lanceur partant du premier match de l'histoire des Mets ! »

Stengel, qui avait fait les beaux jours des Yankees plusieurs années auparavant, avait 74 ans à l'époque et s'il avait bien prononcé le nom de Daviault, il commençait déjà à mêler ceux des autres. L'entraîneur des lanceurs, Red Ruffing, savait comment interpréter ses paroles. « Quand il me disait de préparer Sal Maglie pour la relève, je savais qu'il pensait à Daviault… »

Les releveurs des Mets ont travaillé très fort pendant cette saison 1962. Le club a perdu 120 parties, un record, et n'en a remporté que 40. Leurs adversaires ont marqué 948 points et frappé 192 circuits. Un jour, un Casey Stengel découragé a demandé à ses joueurs réunis : « Y en a-t-il un parmi vous qui sait jouer au baseball ? »

Parmi ce groupe de vertes recrues et de vétérans en fin de carrière se trouvait « Marvellous » Marv E. Throneberry, surnommé « Monsieur Met » à cause de ses initiales, frappeur de puissance et peut-être le plus désolant joueur défensif de l'histoire du baseball. Ses gaffes au premier but faisaient crouler de rire les spectateurs.

« On disait de Throneberry qu'il était incapable d'attraper un rhume, raconte Daviault, mais c'était notre joueur le plus populaire auprès du public, justement à cause de ses erreurs.

« Trois de nos lanceurs ont perdu 20 parties cette année-là : Roger Craig, Al Jackson et Jay Hook. Sur papier, nous n'étions pas si mal, mais nous avons vite compris que les autres clubs s'étaient débarrassés de leurs joueurs finis lors du repêchage d'expansion. »

Daviault a terminé la saison avec une fiche de 1-5 et une moyenne de points mérités de 6,22. Il se souvient de l'une de ses défaites, encaissée aux mains de Sandy Koufax, peut-être le meilleur gaucher de tous les temps, qui a lancé pendant neuf manches complètes sans accorder un seul coup sûr aux malheureux Mets.

« J'aurais dû ajouter une victoire à ma fiche. Un jour que j'avais commencé le match, je menais 3-1 contre les Cubs. Stengel s'est amené au monticule en septième et m'a demandé si j'avais souvent lancé plus de sept manches. J'ai répondu que j'étais releveur depuis quatre ans. Alors il m'a remplacé. À la neuvième, nous avions toujours l'avance 5-1, mais Ernie Banks a cogné un grand chelem et les Cubs ont gagné 6-5. »

Daviault a lui aussi été réclamé par les Mets lors du repêchage d'expansion de 1962. Son contrat appartenait alors aux Giants de San Francisco, qui ont obtenu 75 000 $ en échange. « Un dépisteur des Mets m'avait suivi en 1961. Il était venu jusqu'à Tacoma, où se trouvait une filiale des Giants. Quand il m'a demandé si j'accepterais de jouer avec les Mets, j'ai répondu que j'irais n'importe où, à condition que ça soit dans les majeures. Mon père était fou de joie, il adorait Casey Stengel. »

Mais la saison 1962 a été la dernière de Raymond Daviault dans les ligues majeures de baseball. Après un année à Buffalo, en 1963, des maux de bras l'ont forcé à abandonner. Il avait 29 ans.

Comme plusieurs athlètes locaux, il a trouvé du travail dans une des grandes brasseries canadiennes, la Carling-O'Keefe. Lorsque sa compagnie s'est fusionnée avec la Molson, Raymond Daviault a eu droit à une retraite anticipée.

Il vit aujourd'hui près de Rawdon, où il élève des pigeons voyageurs.

Daviault a eu plus de chance que Tim Harkness, une star du parc Lafontaine qui est aussi passée par la dure école de Casey Stengel. Dans un livre paru récemment sur les Mets, on apprend que le Montréalais a été congédié après avoir révélé aux journalistes que Stengel somnolait pendant les matchs.

Harkness nie tout cela encore aujourd'hui. « J'ai fait cette déclaration plusieurs années après mon séjour à New York. Au contraire, j'aimais bien Casey et je n'ai jamais eu de problèmes avec lui… »

L'aventure de Tim Harkness, un solide cogneur, a commencé en 1956 au parc Lafontaine, quand un dépisteur des Phillies de Philadelphie lui a offert 16 000 $ pour signer un contrat. La limite permise pour les boni étant de 4000 $ à l'époque, le reste lui serait versé « sous la table ».

Harkness a entrepris sa carrière professionnelle à Kokomo, dans l'Indiana. Une fois sur place, on lui a appris que son contrat venait d'être cédé aux Dodgers de Los Angeles, et ces derniers promettaient de forcer les Phillies à lui verser les 12 000 $ promis.

Bonus ou pas, le jeune homme a franchi les étapes pour finalement atteindre les ligues majeures en 1961. « Les Dodgers avaient une superbe équipe avec en tête Maury Wills, qui a volé

104 buts pour battre le record de 94 de Ty Cobb. Sandy Koufax a raté une partie de la saison à cause de blessures et les Giants nous ont rattrapés en fin de saison. Ils nous ont ensuite battus en éliminatoire. » La contribution de Harkness : une moyenne de .258 en 92 parties, deux circuits et sept points produits.

L'année suivante, il s'est joint aux Mets de New York, mais sa performance a chuté. La raison n'en est pas mystérieuse pour lui : « J'avais développé un grave défaut dans mon élan. Je frappais en m'appuyant sur le pied avant plutôt que sur le pied arrière. À l'époque, il n'y avait pas d'entraîneur des frappeurs. Ma moyenne au bâton a baissé à .211, mais j'ai occupé le quatrième rang du rôle des frappeurs jusqu'à la fin de la saison et j'en suis fier. »

En 1964, une grave blessure à une main puis une autre à l'épaule ont grandement diminué sa puissance au bâton. Les Mets ont alors introduit un jeune espoir de leur organisation, Ed Kranepool, un joueur de premier but à qui ils avaient consenti un énorme bonus. La carrière de Tim Harkness arrivait à sa fin. Échangé aux Reds de Cincinnati, il a vite perdu son poste au premier aux mains d'une autre brillante recrue, Tony Perez. Oublié dans les filiales des Pirates en 1966, le cogneur du parc Lafontaine est finalement rentré au pays, où il a travaillé longtemps dans une compagnie de transport.

« Si j'écris un livre un jour, je raconterai que les Phillies me doivent toujours 12 000 $... »

Quarante ans plus tard, Tim Harkness choisit d'en rire.

Tim Harkness

GERRY SNYDER, ENVERS ET CONTRE TOUS…

Chapitre 5

GERRY SNYDER, ENVERS ET CONTRE TOUS...

La grande majorité des médias montréalais se sont moqués de Gerry Snyder pendant qu'il poursuivait son rêve d'amener le baseball majeur à Montréal.

« Personne ne croyait que c'était possible. Les gens de la radio et de la télévision, en particulier, considéraient mon projet comme une farce. Je les rencontrais dans des événements mondains, dans des tournois de golf, et ils me souhaitaient bonne chance en ajoutant "vous en aurez besoin". »

Lorsque Snyder a gagné son pari, le 27 mai 1968 à l'hôtel Excelsior de Chicago, seulement deux reporters de Montréal l'accompagnaient, Marcel Desjardins et Gerry Champagne, de *La Presse*.

Six ans plus tôt, Snyder, alors conseiller municipal et vice-président du comité exécutif de la Ville de Montréal, et Lucien Saulnier, le président du comité, se trouvaient dans le bureau new-yorkais du commissaire du baseball, Ford Frick.

— Avez-vous un stade? a demandé Frick.

— Non, ont répondu les deux visiteurs.

— Alors revenez quand vous aurez un stade.

La rencontre a duré une dizaine de minutes et les deux hommes sont rentrés un peu découragés. Mais cinq ans plus tard, en 1967, Snyder a senti que le moment était peut-être venu.

« La Ligue américaine a causé une surprise en annonçant qu'elle accordait de nouvelles concessions aux villes de Kansas City et Seattle. Je me suis dit que la Ligue nationale allait certainement réagir. J'ai donc recommencé mon lobbying et j'ai trouvé un allié, Walter O'Malley, le propriétaire des Dodgers de Los Angeles. Nous nous entendions très bien. O'Malley insistait pour m'accueillir avec un "bonjour, comment allez-vous ?" en français chaque fois que je lui téléphonais.

« Il me disait aussi que je n'avais pas besoin de me rendre à Los Angeles, ni de lui vendre le potentiel de Montréal comme ville de baseball. Il avait gagné beaucoup d'argent avec les Royaux, la filiale des Dodgers, dans les années 1940. »

Malgré l'appui de Walter O'Malley, les médias montréalais continuaient d'ignorer le projet de Snyder.

« J'ai encaissé beaucoup de sarcasmes. Les journalistes étaient convaincus que le baseball majeur ne sortirait jamais des États-Unis. Jacques Beauchamp, l'un des principaux journalistes en ville, m'a dit quelques années plus tard qu'il avait commis une grave erreur en ne couvrant pas mes démarches. J'ai longuement savouré cet aveu. »

Les années 1960 avaient été merveilleuses pour la ville de Montréal. Le maire Jean Drapeau avait étourdi le pays entier avec Expo 67 et la construction d'un métro flamboyant. La naissance des Expos couronnait une décennie dorée pour Drapeau et « sa » ville, comme il aimait à dire.

Gerry Snyder a d'abord affirmé aux dirigeants de la Ligue nationale de baseball que l'Autostade, un amphithéâtre construit par les fabricants d'automobiles dans le cadre d'Expo 67, deviendrait un domicile adéquat pour le club de baseball. Mais en juin 1968, lors d'une visite de Warren Giles, le président de la Ligue nationale, l'Autostade a été refusé. Vers 18 h le même jour, Giles, Snyder et une imposante délégation se sont rendus au parc Jarry, dans un quartier du nord de Montréal, où avait lieu un match d'étoiles de baseball junior. « J'aime cet endroit », a dit Giles lorsque les réflecteurs ont inondé le terrain de lumière au moment où les joueurs s'amenaient en trottant.

« Est-il possible de bâtir des gradins de 25 000 ou 30 000 sièges ? » Les architectes présents ont répondu dans l'affirmative et la question du stade était réglée.

Mais Gerry Snyder n'avait pas terminé son travail. Il a convaincu l'homme d'affaires Jean-Louis Lévesque, propriétaire de l'hippodrome Blue Bonnets, de s'afficher comme premier actionnaire. Charles Bronfman, qui deviendrait actionnaire majoritaire, a suivi et huit autres financiers ont investi un million chacun. Puis Snyder a présenté John McHale, alors commissaire-adjoint des majeures et ancien directeur-gérant des Braves et des Tigers, à Bronfman.

« Nous ne connaissions pas McHale, mais un homme d'affaires très puissant, un certain William Daley, président de Pennsylvania Railroads, ne cessait de nous le recommander. J'ai rencontré McHale et il a été très gentil. Il me couvrait de compliments et répétait qu'il voulait travailler avec moi. Je suis allé le prendre à l'aéroport plusieurs fois lorsqu'il venait rencontrer Charles Bronfman. Je le ramenais à Dorval quand il retournait chez lui. Puis, un jour, j'ai appris qu'il était passé à Montréal et reparti sans me téléphoner. J'ai compris que quelque chose n'allait pas. J'ai su par la suite qu'il ne voulait pas de moi dans l'organisation des Expos. C'était un coup à l'américaine et, tel un Américain, il a amené des États-Unis son équipe d'administrateurs.

« Je ne lui ai plus fait confiance par la suite. Quand je le croisais, il se disait très heureux de me rencontrer et puis il disparaissait en vitesse. »

Les Expos n'ont jamais offert de poste à Gerry Snyder, bien qu'il ait accompli tout le travail de création, y compris celui de trouver leur premier président, McHale.

« On me donnait deux billets de saison au parc Jarry mais, quand le club a déménagé au Stade olympique, mon nom a été rayé. La direction des Expos a toujours refusé de me dédommager sous prétexte que j'avais été politicien. La Ligue nationale de hockey a remis 25 millions à Bruce McNall lorsqu'il a convaincu Disney d'acheter une concession ! Je crois que je méritais plus de reconnaissance. Il n'y a pas de doute là-dessus. L'homme qui a obtenu la concession des Mets de New York a au moins vu son nom accolé au stade (Shea).

« Après 25 ans, Claude Brochu m'a invité à lancer la première balle de la saison. Croyez-vous que 24 personnes ont travaillé plus que moi à la venue du baseball majeur à Montréal ? Mais je ne regrette rien, je suis fier de ce que j'ai accompli. »

Au milieu des années 1970, un groupe d'hommes d'affaires de Toronto a embauché Gerry Snyder comme conseiller. Le résultat en a été, en 1977, la naissance des Blue Jays.

UN CIRCUIT COMME CELUI-LÀ…

Chapitre 6

UN CIRCUIT COMME CELUI-LÀ...

Dans l'enclos des releveurs, un certain Randy St. Clair, vétéran du niveau AAA, lançait des rapides qui ressemblaient à des tirs d'exercice.

Le match d'ouverture 1988 des Expos était encore jeune et Larry Bearnarth, l'entraîneur des lanceurs, avait grimacé une première fois en voyant la balle sortir rapidement du terrain et tomber très loin dans les gradins du Stade olympique. Darryl Strawberry, l'as cogneur des Mets de New York, avait sévi contre le meilleur lanceur des Expos, Dennis Martinez. « Merde, la journée va être longue », soupira tout bas Bearnarth, qui n'avait encore rien vu.

En septième manche, Strawberry affronte St. Clair et sa rapide d'exercice. Le joueur des Mets fait contact et la balle se dirige vers un autre code régional, voire un autre fuseau horaire avant de frapper brusquement l'anneau de béton qui entoure le toit du stade. La foule y va de longs « Oooh... » et de longs « Aaah... » pendant que la balle revient sur le terrain. Confus, les arbitres hésitent puis décrètent un circuit « selon les règlements du terrain ».

« Une fusée, une vraie fusée... », racontait Kevin Elster, l'arrêt-court des Mets, quelques mois plus tard.

« Je n'ai jamais vu un circuit comme celui-là. C'était le match d'ouverture et tout le monde était très excité. De temps en temps,

Darryl frappait des balles avec toute la force de ses très longs bras. Mais jamais comme celle-là…. Qui sait où cette balle serait retombée ? Elle montait encore quand elle a atteint l'anneau, elle avait encore beaucoup de vitesse. Ses longs bras sont carrément un phénomène de la nature… »

Selon l'évaluation un peu prudente d'un électronicien du stade, le circuit de Strawberry aurait parcouru 525 pieds, à une hauteur de 160 pieds et à environ 340 pieds du marbre. Mais on peut supposer que sans l'anneau de béton, la balle aurait franchi quelque 600 pieds.

Dans le livre des records du Stade olympique, Willie Stargell détient toujours celui du plus long circuit avec un coup de 535 pieds réussi le 20 mai 1978 contre Wayne Twitchell. La balle a atteint le deuxième balcon, au niveau 500 du temps, et un siège peint en jaune nous rappelle l'exploit.

Un autre joueur des Mets, Dave Kingman, a aussi atteint l'anneau de béton le 1er juin 1977. Selon des témoins, Kingman est venu à quelques pieds de sortir la balle du stade. L'officiel du troisième but, Bruce Froemming, qui avait perdu la balle de vue, l'a déclarée fausse, mais la plupart des joueurs présents soutiennent qu'elle était bel et bien en jeu.

Après avoir engueulé Froemming, Kingman avait déclaré son affection pour le stade de Montréal. « Le meilleur endroit pour frapper des circuits, meilleur que le Wrigley Field à Chicago, meilleur que n'importe quel stade des majeures. » D'autres longs cogneurs, comme Strawberry, ont par la suite répété les mots de Kingman. C'était avant l'arrivée des Rockies du Colorado et de leur stade magique…

Notons qu'un seul autre frappeur a réussi à sortir la balle du Stade olympique. À la fin des années 1970, Tony Perez, alors dans l'uniforme des Expos, a cogné derrière le marbre une fausse balle qui n'est jamais revenue.

Quant au circuit de Strawberry, l'obscur Randy St. Clair s'en souvenait très bien quelques années plus tard. « C'était une rapide, et Strawberry ne l'a pas ratée. En fait, la balle a dû avoir mal. Elle est montée en flèche mais je ne crois pas qu'elle soit allée tellement loin. Ma réaction ? Quand un lanceur a accordé un circuit, il n'y peut plus rien… »

Strawberry a été très bref ce jour-là. Après le match, devant les journalistes qui entouraient son casier, il a parlé d'un « circuit comme un autre » et n'était pas intéressé par la distance parcourue. À cette époque, l'ombrageux bonhomme s'était mis à dos le gérant Davey Johnson ainsi que tous ses coéquipiers avec des déclarations parues dans l'*Esquire,* un magazine prestigieux des États-Unis, où il les blâmait pour l'échec de 1987 après le championnat de 1986.

Huit ans plus tard, Darryl Strawberry racontait ses souvenirs avec plus d'enthousiasme.

« On n'oublie pas des circuits comme celui-là. Le lancer était bas et j'ai fait contact avec un élan parfait. La balle est montée tout droit et elle s'est arrêtée sur le toit. Personne ne pouvait dire s'il s'agissait d'un circuit et je contournais le deuxième but quand les officiels ont finalement rendu leur décision. Il fallait qu'ils m'accordent un circuit, la balle était sortie du terrain. Je l'ai long-temps suivie des yeux en courant autour des buts. Ils auraient dû m'accorder deux points !

« Je n'ai pas demandé qu'on me donne la balle en souvenir, je ne collectionne pas les balles. Je ne connais pas la distance de ce circuit mais c'est certainement le plus bizarre de ma carrière. Atteindre le toit, c'est quand même un exploit. »

L'officiel Randy Marsh était en devoir lors de ce match Expos-Mets et il a avoué, quelques années plus tard, que lui et ses confrères ont hésité avant de prendre une décision.

« Qui aurait pu prévoir, dans les règlements de terrain établis avant le match, qu'une affaire de ce genre allait se produire ? On voit des voltigeurs toucher la balle et la pousser par-dessus la clô-ture, on voit toutes sortes de choses inusitées mais rien comme ce circuit étrange dans ce stade particulier. Nous nous sommes réunis tous les quatre pour une courte consultation avant d'accorder le circuit à Strawberry. »

Sam Perlozzo était l'entraîneur des Mets au troisième but : « D'abord, je n'arrivais pas à croire qu'il avait frappé une balle sur le toit. Ensuite, il fallait que je décide si Darryl devait rester au deuxième ou avancer vers le troisième. Les officiels ne disaient rien, ils étaient aussi mêlés que moi et je courais de l'un à l'autre pour savoir s'il s'agissait d'un double ou d'un circuit. Et la balle qui roulait sur le terrain…

« Darryl frappait souvent des balles très haut. Mais j'ai perdu celle-là dans les réflecteurs. Je comprends l'hésitation des officiels. Je les vois mal instituer, dans le meeting d'avant-partie, que "si la balle frappe le toit et revient sur le terrain…" »

Pour un jour d'avril, le temps était très, très humide à l'intérieur du Stade olympique. La pluie menaçait et la direction du club avait décidé de laisser la toile couvrir le terrain. Mais la fraîcheur était restée à l'extérieur.

« Les conditions atmosphériques favorisaient énormément les frappeurs », se souvient Larry Bearnarth.

« Les balles volaient à 30 ou 40 pieds plus loin qu'en temps normal. Il faisait vraiment très chaud et il y avait 50 000 personnes dans les gradins. Dans ce stade, plus il fait chaud, plus l'air devient léger. Le premier circuit de Strawberry m'avait fait bondir tellement la balle voyageait rapidement. Il a frappé le deuxième contre un lancer bas, lui qui adorait les lancers bas. Et la glissante de St. Clair n'avait pas tellement de force. La balle s'est déposée gentiment sur le bâton de Strawberry. »

La visite des Mets suivait celle de l'autre équipe de New York, les Yankees. Deux jours plus tôt, pour mettre fin à son camp d'entraînement, le célèbre club avait affronté les Expos de Montréal devant seulement 22 191 personnes. Le public montréalais n'avait pas eu tort, les deux équipes ont utilisé 41 joueurs pour ce match remporté 5-4 par les Expos. Mais une déclaration de Tim Wallach, qui avait obtenu un circuit, allait hanter les Expos lors de leur match d'ouverture : « La balle voyage vraiment beaucoup dans le stade… »

Deux jours plus tard, pour la partie d'ouverture, 55 413 spectateurs ont pris place dans l'humidité écrasante et Davey Johnson a vite remarqué que les coups frappés pendant l'entraînement d'avant-match atteignaient des distances inattendues. Keith Hernandez, joueur de premier but des Mets, a fait savoir aux journalistes qu'un *jet stream* se déplaçait en direction du champ droit. Buck Rodgers, le gérant des Expos, parlait des « systèmes d'aération et d'air climatisé qui s'étaient confondus ».

Tout était en place pour la rencontre Strawberry-St. Clair.

« Ils ont bien fait de mettre la toile parce que Strawberry aurait pu frapper une balle sur la rue Sherbrooke », a dit Gary Carter, alors avec les Mets.

Davey Johnson : « J'ai joué avec Hank Aaron et Frank Robinson, avec Sadaharu Oh au Japon, mais aucun d'entre eux n'a frappé un coup comme celui-là. »

Le résultat du match ? Mets 10, Expos 4, avec deux circuits pour Kevin McReynolds, un chacun pour Lenny Dykstra et Kevin Elster. Une bonne journée pour les frappeurs, surtout ceux des Mets.

Le circuit mémorable de Darryl Strawberry ne fut pas le plus important de sa carrière. Il se souvient surtout d'un ballon au champ droit contre Nolan Ryan et les Astros dans un match d'éliminatoires de la Ligue nationale en 1986.

« Celui-là m'a procuré beaucoup de satisfaction. Pendant la même série, j'ai frappé un long circuit de trois points contre Bob Knepper. »

En 1996, en série de championnat de la Ligue américaine, dans l'uniforme des Yankees, Strawberry obtenait trois circuits contre les Indians de Cleveland puis un autre contre les Braves d'Atlanta dans une Série mondiale remportée par New York. Mais les Expos se classent toujours parmi ses victimes préférées. Il a frappé 17 coups de quatre buts à Montréal et 33 en carrière contre des lanceurs tricolores. À ce chapitre, il vient derrière Mike Schmidt (57 !), Willie Stargell (37) et Johnny Bench (35).

Mais les exploits de Darryl Strawberry se sont faits par la suite de plus en plus rares. Au début des années 1990, il se dirigeait vers une carrière de 400 circuits, chiffre qu'il n'a jamais atteint. Des problèmes de drogue, des incidents de violence conjugale ainsi que des démêlés avec le fisc américain ont beaucoup terni son image et nui à ses performances.

Son comportement s'est adouci avec le temps. À ses derniers jours chez les Mets, le grand voltigeur boudait dans le vestiaire et se cachait dans la salle des soigneurs quand les journalistes entraient. Mais lorsqu'il s'est présenté au camp d'entraînement des Dodgers de Los Angeles en 1991, avec un tout nouveau contrat de quatre ans, Strawberry était méconnaissable. En fait, il avait rencontré Dieu et se prêtait volontiers à d'interminables séances d'autographes.

Mais une série de rechutes dans le monde de la drogue ont finalement mené à son congédiement par les Dodgers au cours de la

DE JACKIE ROBINSON À FELIPE ALOU

saison 1993. Les Giants de San Francisco l'ont alors ravi aux Expos, qui s'étaient risqués à lui faire une offre sérieuse. Mais la chance a favorisé le club montréalais puisque d'autres problèmes de drogue ont forcé les Giants à se débarrasser à leur tour de Strawberry.

Les Yankees l'ont récupéré en 1995 grâce à une entente personnelle avec George Steinbrenner, l'excentrique propriétaire du club. Au printemps de 1996, Strawberry a subi l'humiliation d'un séjour dans les mineures avant que Steinbrenner ne le sorte du purgatoire une deuxième fois.

Aux dernières nouvelles, Strawberry parlait toujours de sa relation avec Dieu…

Quant à Randy St. Clair, il était entraîneur des lanceurs à Stockton, en Californie, dans une filiale des Brewers de Milwaukee. À la fin de la saison 1995 chez les Cannons de Calgary, un club de niveau AAA, St. Clair a décidé de devenir entraîneur, avec comme objectif une carrière dans les majeures. Il aura été professionnel pendant 19 ans, la plupart du temps dans les ligues mineures. Sa carrière a débuté à Calgary en 1979 et pris fin au même endroit.

« Quand on n'a ni beaucoup de talent ni une rapide de 90 milles à l'heure et qu'on vieillit, il est temps de penser à la retraite. Je n'étais plus qu'une police d'assurance dans le baseball mineur. »

Randy St. Clair avoue que le baseball ne l'a pas enrichi au cours de ces 19 étés.

« Je vivais de chèque de paye en chèque de paye… »

UNE SOIRÉE
CHEZ LES BRONFMAN

Chapitre 7

UNE SOIRÉE
CHEZ LES BRONFMAN

L'humoriste Bill Cosby est l'une des plus grandes vedettes du show business en Amérique du Nord. Né dans un HLM de Philadelphie, il a bâti une fortune évaluée, dit-on, à 66 millions de dollars, avec des spectacles dans les salles les plus prestigieuses, des émissions de télévision, des disques d'humour et des livres. Son livre *Fatherhood (L'art d'être grand-père)* s'est vendu à plus de quatre millions d'exemplaires.

Mais peu de gens savent que Cosby s'est déjà produit dans une soirée privée à Montréal. En fait, l'événement a eu lieu à Westmount en 1991, dans la demeure de Charles Bronfman, à l'occasion d'une fête surprise organisée par l'épouse de Charles, Andrea, et son neveu, Edgar fils. De son bureau de New York, ce dernier a rejoint l'agent de Cosby : le prix demandé était de 200 000 $US pour la soirée et le jeune Edgar a accepté sans sourciller. L'argent n'est pas un problème chez les Bronfman.

Il faut savoir que les actions de l'oncle Charles chez Seagram valent plus de deux milliards et que, deux semaines avant ce 60e anniversaire, Charles Bronfman avait vendu les parts qu'il détenait chez les Expos, soit 70 % de la valeur du club. (En 1995, Edgar fils négociait l'achat de MCA inc., une affaire de

7,8 milliards, et faisait du clan Bronfman un joueur non négligeable dans le monde du cinéma à Hollywood.)

Mais revenons au 29 juin 1991 et à Bill Cosby, qui saute dans son jet privé en direction de l'aéroport de Dorval. Parmi les 175 invités, l'actuel président des Expos, Claude Brochu, alors le bras droit de Charles Bronfman, se souvient. « C'était tout un événement. Très élégant, très joli. Une énorme tente était montée sur le terrain et il y avait des toilettes en cabine un peu partout. Mais personne n'hésitait à s'en servir : elles sentaient bon, elles étaient énormes, on aurait pu y passer une heure. Tout était formidable. »

Pendant que les invités en tenue de gala s'émerveillaient, pendant qu'ils déballaient leur sac de cadeaux (des souvenirs des Expos), dansaient au son d'un des deux orchestres ou s'amusaient avec Youppi, Bill Cosby répétait son monologue dans la cuisine des Bronfman.

Sur une estrade aménagée au milieu du jardin, Cosby prit place avec sa nonchalance habituelle. Les invités, assis à des tables de jardin autour de l'estrade, ont mis quelques minutes à revenir de leur surprise. Des stars comme lui n'ont pas l'habitude de donner leur spectacle au bord de la piscine familiale. Le monologue dura une heure et le public se laissa évidemment séduire.

Parmi les gens présents se trouvaient Buck Rodgers, le gérant des Expos congédié trois semaines plus tôt, Bud Selig, alors propriétaire des Brewers de Milwaukee et futur commissaire du baseball, le premier ministre du Canada, Brian Mulroney, et son épouse, Mila.

Rodgers, un monsieur qui apprécie les plaisirs de la table, se souvient de cailles et de poulets de Cornouailles servis dans de la riche argenterie. « Il y avait plusieurs personnes autour de Mulroney. On aurait dit qu'ils avaient tous quelque chose à lui demander. Lui, semblait s'ennuyer. À un certain moment, il les a tous quittés et s'est rendu à ma table pour parler de baseball. Il était très sympathique. »

Le lendemain, Bill Cosby a téléphoné à Charles Bronfman pour savoir si sa performance avait été à la hauteur et si tout le monde était satisfait.

Quant à Charles Bronfman, son flair lui aura permis une fois de plus de devancer ses concurrents en affaires. Aux premiers signes de la flambée des salaires dans le baseball majeur, il a vite perdu son intérêt pour le milieu, vendu toutes ses actions dans les Expos. Aux dernières nouvelles, son protégé Claude Brochu ne comptait pas sur lui pour bâtir un stade au centre-ville de Montréal.

DES CRIS D'HORREUR

Chapitre 8

DES CRIS D'HORREUR

Le lanceur des Giants de San Francisco, Dave Dravecky, gisait sur le sol du Stade olympique en proie à une douleur que personne ne peut imaginer. C'était le 15 août 1989, et de nombreux spectateurs avaient entendu le son horrible d'un os qui se brise.

« On aurait dit un coup de feu », a plus tard raconté Will Clark, joueur de premier but des Giants et le premier à se porter au secours de son coéquipier.

« Un son très, très fort. J'avais entendu des muscles se déchirer pendant une course vers le premier but mais jamais le bruit d'un os qui éclate. Dave s'est effondré immédiatement en tenant son bras gauche. Il souffrait beaucoup. Il voulait bouger et j'essayais de le garder immobile jusqu'à ce que les soigneurs arrivent. J'ai saisi son bras et c'était comme tenir une guenille. Je savais que la blessure était grave. »

Cinq jours avant son accident au Stade olympique, Dave Dravecky avait réalisé un exploit que ses médecins croyaient impossible moins d'un an plus tôt. Face aux Reds de Cincinnati, devant les partisans des Giants, il avait lancé sept manches sans accorder de point et permis aux siens de remporter une victoire de 4-3. Avant son premier lancer, Dravecky avait levé les yeux vers le ciel : « Merci mon Dieu, pour ce miracle. »

Le 7 octobre 1988, au cours d'une opération de huit heures, une équipe de chirurgiens avait retiré une tumeur maligne de son épaule gauche ainsi que 49 % du muscle deltoïde. Plus question de lancer dans une telle condition, avaient alors affirmé les médecins.

Contre les Expos, à son deuxième départ depuis son retour, Dravecky se défendait très bien au monticule. Damaso Garcia, le premier frappeur à lui faire face en sixième manche, a frappé un circuit. Puis Dravecky a atteint Andres Galarraga avec une rapide. Tim Raines s'est présenté au marbre et c'est quelques minutes plus tard que les spectateurs qui se trouvaient le plus près du terrain ont poussé des cris d'horreur. Le bras de Dravecky venait de céder avec un *crac*! que certains n'oublieront jamais. Après quatre interminables minutes de soins, le lanceur des Giants a quitté le terrain sur une civière.

Tim Raines : « Il criait tellement fort qu'il me faisait peur. Je savais qu'il se passait quelque chose de très grave. J'ai entendu l'os éclater comme un pétard. Je pensais que son bras se détacherait de son épaule… »

Roger Craig, gérant des Giants : « Rien qu'à voir la couleur de son visage, j'ai vite compris que la douleur était terrible. »

Dans une entrevue en 1996, Dravecky parlait de sa « rapide de 45 pieds ». Elle devait franchir les 60 pieds et six pouces qui séparent le monticule du marbre mais…

« La balle a roulé lentement vers l'abri des Expos. Elle ne s'est même pas rendue jusque-là. Je ne me souviens pas d'être tombé mais je me souviens du son et surtout de la douleur. Will (Clark) s'est approché et m'a ordonné de respirer fort parce j'étais presque en état de choc. Je ne voulais pas regarder mon bras, si j'avais vu du sang, j'aurais perdu connaissance. »

Dravecky a été conduit dans un hôpital montréalais où l'attendait l'orthopédiste Larry Coughlin. Son bras dans une écharpe, il s'est ensuite rendu en taxi au Centre Sheraton où sa chambre a vite été envahie par ses coéquipiers des Giants qui revenaient du stade.

« Jusque-là, je n'avais demandé aucun médicament contre la douleur. Je n'en reviens pas, j'avais tellement mal. J'ai finalement avalé un somnifère vers trois heures du matin. À six heures, je prenais la direction de l'aéroport, d'autres médecins m'attendaient à San Francisco. »

Diagnostic officiel : fracture de l'humérus gauche. « On avait pratiqué une anesthésie locale sur cet os, lorsqu'en 1988 on avait retiré la tumeur maligne, et il était demeuré fragile. C'est ce qui faisait dire aux médecins que je ne lancerais plus. Mais ça ne m'a pas arrêté… »

Dave Dravecky n'a plus jamais affronté de frappeurs après Tim Raines. Et la vie allait lui apporter une longue suite de malheurs.

Quelques semaines après son accident à Montréal, il avait revêtu l'uniforme des Giants au Candlestick Park et encourageait ses coéquipiers impliqués dans la course au championnat de leur division. À la fin du match, Dravecki s'est rué sur le terrain pour célébrer la victoire mais au cours d'une joyeuse empilade, un joueur est tombé sur son bras gauche, causant une nouvelle fracture.

« Je ne sais pas qui est tombé sur moi mais j'ai eu très mal. La fracture se situait à environ deux pouces de l'ancienne. Je n'ai pas pu suivre le reste des éliminatoires. J'ai demandé la permission de retourner chez moi dans l'Ohio. Je souffrais trop. »

Le 13 novembre 1989, une nouvelle tumeur maligne est apparue à son épaule gauche et Dravecky a officiellement annoncé sa retraite. Opéré en 1990, il a passé l'année 1991 au lit dans une douleur constante.

« J'ai failli mourir. Chaque fois que les médecins m'examinaient, ils trouvaient plus de cancer répandu entre mon épaule et mon coude. »

Après avoir consulté une série de spécialistes, Dravecky se rendit à l'évidence : seule une amputation pouvait le sauver.

« Je savais depuis le début que je pourrais un jour perdre mon bras. J'ai fait confiance aux médecins qui ont pris la décision. »

Le 19 juin 1990, Dravecky était amputé de son bras gauche ainsi que d'une partie de son épaule. Il se souvient d'avoir attendu à la porte de la salle d'opération avec son épouse Jan, rencontrée pendant son adolescence dans une école secondaire de l'Ohio. Le couple était marié depuis 12 ans.

« Je voulais prier pour les médecins et les infirmières mais j'étais trop drogué et je n'arrivais pas à me concentrer. Le lendemain, une infirmière est venue me remercier. Elle m'a dit que j'avais prié deux fois pour eux tous. Mais je ne me souvenais de rien. »

Selon son agent Sealy Yates, le moral de Dravecky était excellent dans les jours qui ont suivi l'amputation. « Le fait de ne plus souffrir le rendait heureux… »

Mais la suite fut moins facile. Les époux ont tour à tour sombré dans de longues périodes de dépression et de découragement. Jan Dravecky a été particulièrement ébranlée.

« Après l'amputation, je soignais mon mari jour et nuit. Je me suis vidée, j'ai été victime d'un *burnout,* j'avais des crises d'angoisse… »

Dave Dravecky s'est lancé avec beaucoup d'énergie dans une carrière de motivateur. Il a visité des écoles, des hôpitaux, des églises, jusqu'à ce qu'il s'épuise et entre de nouveau dans une longue dépression.

Leur couple a toutefois survécu. Tous deux ont écrit des livres racontant leurs expériences. Dave a créé une fondation, Outreach of Hope, qui vient en aide aux cancéreux et aux amputés. Basée sur une foi profonde, elle offre soutien et encouragements aux victimes et à leur famille.

Les Dravecky semblent parfaitement heureux aujourd'hui et ils attribuent leur bonheur retrouvé à un produit canadien développé à Toronto : le Prozac. Deux comprimés chaque matin…

« Dave croyait que je ne serais plus attirée vers lui à cause de sa condition, raconte Jan. Au début, j'étais secouée. J'avais l'impression qu'il lui manquait la moitié de son corps. J'étais très déprimée. Le Prozac m'a beaucoup aidée. »

Aux dernières nouvelles, Dave Dravecky avait réalisé une ronde de 105 sur un terrain de golf.

Pas mal du tout.

LE COMMISSAIRE-POÈTE

Chapitre 9

LE COMMISSAIRE-POÈTE

En septembre 1988, les propriétaires d'équipes de baseball majeur, réunis à l'hôtel Quatre-Saisons de Montréal, ont élu un commissaire pour succéder à Peter Ueberroth, le père des très lucratifs Jeux olympiques de Los Angeles et l'une des étoiles du milieu des affaires américain. Qu'une décision aussi importante aux yeux du peuple américain ait pu être prise en sol étranger constituait en soi un événement historique.

Le successeur d'Ueberroth ne lui ressemblait pas du tout : Angelo Bartlett Giamatti, le président de la Ligue nationale depuis 1986, avait été président de l'université Yale (l'une des plus prestigieuses du monde), professeur de littérature et spécialiste mondialement reconnu de la Renaissance italienne. Son amour du baseball était par contre authentique. Giamatti a écrit des livres et de nombreux articles de journaux et de revues où il raconte sa passion pour ce sport appris pendant son enfance de fils d'immigrants à Boston. En 1977, son texte sur la fin de carrière de Tom Seaver lui mérita le prix E.P. Dutton, qui consacre annuellement le meilleur article de magazine aux États-Unis.

La vision poétique de Giamatti devait séduire même les propriétaires les plus conservateurs et certainement apporter un vent de fraîcheur dans un monde qui en avait grandement besoin.

Après de nombreux jeux de coulisses aux Quatre-Saisons, le comité chargé de nommer le successeur d'Ueberroth réussit à obtenir l'unanimité. Jerry Reinsdorf, patron des White Sox de Chicago, et Gene Autry, ancienne vedette de films western et propriétaire des Angels de la Californie, ont été les derniers à se rallier. Giamatti pouvait toutefois compter sur George Steinbrenner, des Yankees, parmi ses principaux partisans.

Ueberroth lui-même avait des doutes sur les capacités d'homme d'affaires de Giamatti, des doutes tout à fait justifiés. Au lendemain de sa nomination, Giamatti embauchait un adjoint, Francis T. (Fay) Vincent, un ami de longue date et un financier expérimenté.

Alors que Giamatti était président de la Ligue nationale, la passion du baseball a fait de lui un chef conservateur, protecteur de la tradition et de l'intégrité, sévère envers ceux qui enfreignaient les lois. Il était particulièrement dur pour les joueurs arrêtés en possession de drogue et pour ceux qui manquaient de respect envers les officiels.

À titre de commissaire du baseball majeur, Giamatti a vu son règne marqué par la suspension de Pete Rose, trouvé coupable d'avoir parié sur des matchs de baseball alors qu'il était joueur puis gérant des Reds de Cincinnati. Au moment de sa suspension, Rose était déjà entré dans la légende pour avoir surpassé Ty Cobb comme champion frappeur de coups sûrs de l'histoire du baseball. Mais Giamatti n'a pas hésité et depuis sa sentence, les téléphonistes de tous les stades de baseball notent le nom et le numéro de téléphone de ceux, journalistes compris, qui communiquent avec le vestiaire des clubs. Pete Rose, qui plaçait ses paris même pendant les matchs, est toujours banni du Temple de la renommée.

Le commissaire élu à Montréal n'a toutefois pas occupé son poste plus d'un an. Bart Giamatti est décédé le 7 septembre 1989 à la suite d'une attaque cardiaque. Il avait 50 ans. Contrairement à son prédécesseur, Peter Ueberroth, jeune dirigeant yuppie en excellente condition physique, Giamatti était beaucoup trop lourd et fumait quatre paquets de cigarettes par jour.

« Le combat avec les avocats de Pete Rose n'a pas tué Bart Giamatti, disait plus tard son ami et adjoint Fay Vincent, mais le stress qu'il produisait sur lui était très intense et soutenu. Un juge de Cincinnati l'a accusé d'être injuste envers Rose et cela l'a profondément blessé. Mais sa mauvaise condition physique le prédisposait déjà à de graves problèmes de santé. »

Deux semaines après le décès de Giamatti, Vincent devint commissaire du baseball majeur mais il fut évincé trois ans plus tard. Certains propriétaires d'équipe n'aimaient pas son style de leadership et ils ont nommé à sa place l'un des leurs, Bud Selig, propriétaire des Brewers de Milwaukee. Cinq ans plus tard, le laxisme en matière de discipline est l'une des causes de l'inquiétante baisse de popularité du baseball.

« Si Bart (Giamatti) était toujours commissaire, il aurait été très sévère envers Roberto Alomar, par exemple », jure Vincent à propos d'un incident survenu en 1996 où le joueur des Blue Jays a craché au visage de l'officiel John Hirshbeck.

« Le baseball a besoin d'un commissaire indépendant. Selig a subi les pressions de l'Association des joueurs et il a cédé. Cinq matchs de suspension ! Quelle farce ! Bart aurait suspendu Alomar pour toute une saison et les séries éliminatoires aussi. Il n'avait pas de comptes à rendre à l'Association des joueurs. »

On dit dans certains milieux que le baseball n'est plus le même depuis la mort de Bart Giamatti.

BILL STONEMAN,
HIER ET AUJOURD'HUI...

Chapitre 10

BILL STONEMAN, HIER ET AUJOURD'HUI…

Le 17 avril 1969, les chars d'assaut soviétiques envahissaient les rues de Prague et mettaient fin à la dissension du président tchécoslovaque Alexander Dubcek.

Ce jour-là, à Philadelphie, Bill Stoneman vivait un premier moment de gloire. Le lanceur droitier, « trop petit pour être un partant » selon de nombreux dépisteurs, réussissait le premier match sans point ni coup sûr de sa carrière. Trois ans plus tard, le 2 octobre 1972, dans le petit stade du parc Jarry, il répétait l'exploit contre les Mets de New York.

Curieusement, ces deux parties ne sont pas parmi les souvenirs les plus chers de Stoneman. « J'ai lancé le meilleur match de ma carrière contre les Padres de San Diego en 1971. Un blanchissage à Montréal. Cito Gaston avait obtenu un petit coup sûr par-dessus la tête du joueur de deuxième but. Mais pour le reste, ils étaient incapables de frapper mes lancers. Tout fonctionnait. Après le match, notre entraîneur au troisième but, Don Zimmer, m'a dit qu'il n'avait jamais vu une meilleure performance de lanceur. »

Son premier match sans point ni coup sûr, Stoneman l'a dédié au gérant des Expos, Gene Mauch. Les Phillies avaient congédié Mauch en juin 1968 et ce bouillant bonhomme était parti en claquant la porte. Les Expos l'ont vite embauché et ne l'ont jamais regretté.

« Il s'agissait du retour de Gene à Philadelphie et je voulais absolument qu'il gagne ce match. Il y tenait vraiment parce qu'on lui avait fait la vie dure là-bas. Je n'avais pas mon meilleur contrôle mais j'étais chanceux. Les frappeurs n'atteignaient pas mes lancers au milieu du marbre. En quatrième manche, je commençais déjà à penser à un *no-no (no hit, no run)*. Tout le monde savait ce qui se passait et aucun de mes coéquipiers ne m'en a glissé un mot. Par superstition probablement.

« Je me souviens d'un caméraman qui s'est approché de moi pour me filmer longtemps. Les caméras faisaient beaucoup de bruit à l'époque et quelques joueurs voulaient le chasser du terrain. Il n'y avait pas beaucoup de spectateurs (6494), mais à la fin du match, on aurait dit que je lançais devant mes partisans tellement ils criaient. »

Avec une courbe à deux vitesses, une rapide qui bougeait et quelques rares changements de vitesse, Stoneman a retiré les frappeurs dans l'ordre pendant quatre manches et il a accordé un but sur balles à chacune des cinq manches suivantes.

Rusty Staub a obtenu un circuit, trois doubles et produit trois points en plus de voler un coup sûr à Tony Taylor avec un attrapé spectaculaire. Un autre voltigeur, Don Bosch, a longuement glissé sur son derrière pour finalement capter presque au sol une flèche de Don Money. « Bosch avait mal jugé le coup et il a dû se rattraper avec une longue course… »

En neuvième, d'autres palpitations cardiaques pour Stoneman. Le solide cogneur Deron Johnson a claqué un dur roulant à l'arrêt-court. Maury Wills a d'abord bloqué la balle avant de la cueillir et de lancer une flèche à Ty Cline au premier.

Il s'agissait du premier match sans point ni coup sûr pour une équipe de l'expansion. Le deuxième de Stoneman devait être le premier réalisé à l'extérieur des États-Unis. Pas mal pour un trop petit homme.

Repêché par les Cubs de Chicago, Stoneman faisait partie d'un quatuor de jeunes lanceurs avec Ken Holtzman, Bill Hands et Joe Niekro. Il avait eu droit à seulement deux départs (deux victoires de son équipe sans décision à sa fiche) avant d'être relégué à l'enclos des releveurs. Les Expos l'ont réclamé lors du ballottage d'expansion de 1968 comme releveur. Mais pendant le camp d'entraînement de 1969, Gene Mauch décidait de faire de lui un partant. Pour la jeune organisation des Expos, il s'agissait d'un choix important.

Après son premier match sans point ni coup sûr, Stoneman s'est timidement livré aux journalistes. « Tout ce que je demandais, c'était une chance de montrer ce que je pouvais faire comme partant. Ce qui se passe aujourd'hui est fantastique. Je suis si petit que tous mes gérants et entraîneurs m'ont dit que j'étais bâti pour lancer en relève... »

Le deuxième exploit de Stoneman, celui réalisé au parc Jarry, est survenu le jour où les Alouettes, le club de football de la Ligue canadienne, annonçait l'embauche d'un supersecondeur, Tom Cousineau, au salaire de 850 000 $, un jolie somme pour l'époque.

Le lanceur des Expos avait des problèmes de contrôle ce jour-là, le terrain était évidemment en mauvais état et il a fallu un jeu défensif exceptionnel de l'arrêt-court Tim Foli pour voler un coup sûr à Don Hahn.

Après le match, entouré de ses frères Jim et John, Stoneman semblait mal à l'aise. « Je n'ai pas vraiment bien lancé. Mais je suis content pour nos partisans, ce sont les meilleurs du baseball. »

Quelques années plus tard : « Je n'aime pas être la vedette du jour. Ça me gênait beaucoup... »

Son coéquipier du temps, Balor Moore, raconte une scène un peu différente : « Je n'ai jamais vu un homme aussi heureux. Vous ne pouvez pas imaginer comme il était content ce jour-là... »

Les Expos ont remis à Stoneman un chèque de 1500 $ pour chaque *no-no*. La première fois, ils ont ajouté une voiture Renault. La deuxième, deux billets d'Air Canada pour n'importe quelle destination. Stoneman a finalement utilisé les billets pour se rendre au camp d'entraînement à Daytona Beach, avec son épouse Diane Falardeau, une hôtesse d'Air Canada, justement. « Nous étions en train de construire une maison à Senneville et nous n'avions pas le temps de nous éloigner... »

Mais c'était déjà le début de la fin pour Bill Stoneman. Au cours des années suivantes, des problèmes à l'épaule droite ont amoindri ses capacités. En 1974, il était échangé aux Angels de la

Californie. « Un jour, j'ai entendu un bruit dans mon épaule alors que j'essayais de m'échauffer. Je n'ai jamais retrouvé ma vélocité par la suite. Les médecins d'aujourd'hui auraient probablement décelé le problème et prolongé ma carrière. »

Au milieu de la saison 1974, la direction des Angels lui demandait de lancer dans les mineures. Mais Stoneman annonça immédiatement qu'il abandonnait le baseball. À 30 ans.

De retour à Montréal, Stoneman a d'abord travaillé pour ses agents Norm Caplan et Steve Heller, qui ont fait de lui un conseiller en fiscalité. Il se souvient d'avoir reçu des mains de Bill Torrey, le directeur général des Islanders de New York, le premier contrat du hockeyeur Clark Gillies. Stoneman est demeuré dans le milieu pendant seulement six mois. Pendant ce temps, il négociait en douce une somme d'argent qui lui était due à la suite du transfert de son contrat des Expos aux Angels.

Chez les Expos, Stoneman avait été le premier à recevoir son salaire en dollars canadiens. « À cette époque, le dollar canadien valait autant, sinon plus que le dollar américain. »

Stoneman a ensuite travaillé au Royal Trust, où il a occupé dans tout le Canada des postes de directeur de marketing. Puis, lors d'une visite de quelques jours à Montréal, de retour de l'Île-du-Prince-Édouard avec sa famille, il a été accosté par John McHale, le président des Expos. « Quand tu seras libre, j'aimerais te rencontrer. » Stoneman n'accepta le poste d'adjoint à McHale que deux ans plus tard. Il est aujourd'hui vice-président des opérations baseball.

Parmi les gens des médias, Bill Stoneman est considéré comme un homme un peu fade, discret et sans personnalité. L'homme de pierre, le bien nommé. « Je ne changerai pas de personnalité à cause de mon travail. Et puis non, je ne suis pas à l'aise avec les journalistes. »

Mais en 1987 et 1988, Stoneman voyait des journalistes tous les jours, puisqu'il remplaçait le directeur général Murray Cook, qui avait « démissionné » pour « raisons personnelles » (voir le chapitre 13).

« J'étais mal à l'aise à ce poste. Je sortais du milieu des affaires où tout est très discipliné. Et puis les pressions sont énormes de la part des médias, et du public, surtout. »

On lui a reproché à l'époque de ne pas faire assez de transactions. Stoneman avait choisi de garder dans l'organisation des Expos des jeunes comme Delino DeShields, Mel Rojas, Randy Johnson, Mark Gardner et Larry Walker... Il regrette toutefois une transaction ratée. « J'étais sur le point d'obtenir Jay Buhner des Yankees mais Buck Rodgers m'a convaincu d'embaucher Dave Martinez. Il aimait beaucoup Dave Martinez. Cette décision me hante encore aujourd'hui. Dave Dombrowski, qui m'a remplacé le 5 juillet 1988, a finalement cédé à Rodgers et obtenu Martinez. Ce dernier était un joueur honnête, mais lorsqu'un joueur comme Buhner est disponible, on ne doit pas laisser filer l'occasion. »

Sept jours après l'acquisition de Martinez, les Yankees ont commis l'erreur d'échanger Buhner aux Mariners de Seattle pour Ken Phelps. À Montréal, Martinez a rendu de bons services aux Expos, mais il ne peut être comparé à Buhner. Avant de quitter son poste de directeur général, Stoneman n'a pas consulté son gérant avant de rappeler Otis Nixon et Rex Hudler de leur filiale AAA. Il s'agit là de sa plus belle réussite. « J'ai passé quatre jours à Indianapolis et ces deux joueurs m'ont épaté. J'ai dit à Rodgers que nous allions bouger. Nixon et Hudler sont arrivés à Montréal avec des yeux tout grands. Ils étaient ravis de faire leur entrée dans les majeures. Il ne nous ont pas amenés à la Série mondiale, mais ils ont réveillé l'équipe et changé l'attitude de tout le monde. »

Parmi les joueurs et leurs agents, Stoneman passe pour un négociateur très dur. Mais plusieurs agents lui ont offert le plus beau des compliments : « J'aimerais qu'il travaille avec nous... »

Homme de la vieille école, Stoneman a en aversion la flambée des salaires qui ravage le baseball moderne.

« J'ai terriblement hâte que les gens du baseball retrouvent leurs esprits. Notre sport est en train de perdre son intégrité. Le baseball est plus important que les Yankees de New York, qui dépensent quatre fois plus d'argent que les autres clubs... »

LE RETOUR DU GRAND ORANGE

Chapitre 11

LE RETOUR DU GRAND ORANGE

Le 19 juillet 1979, les Expos menaient la Ligue nationale avec une légère avance sur les Pirates de Pittsburgh, et le baseball était roi de l'été montréalais. Quelques jours plus tôt, la direction des Pirates avait réagi en obtenant, à gros prix, le redoutable cogneur Bill Madlock.

Le président des Expos, John McHale, et le gérant, Dick Williams, s'étaient aussitôt réunis avec la ferme intention de répondre à l'offensive de leurs rivaux. C'était au temps, bien sûr, où les salaires des baseballeurs étaient encore raisonnables et où la plupart des clubs rivalisaient avec des budgets comparables.

Ce 19 juillet, une nouvelle a secoué le vestiaire des Expos : un héros, rien de moins, revenait à Montréal après sept années d'absence. Les Tigers de Detroit avaient cédé Rusty Staub, leur principal frappeur délégué, en échange d'une somme d'argent et d'un certain Randy Schafer.

« Il fallait répondre aux Pirates », a expliqué McHale.

« Pour gagner un championnat, il faut bouger quand la situation l'exige. Nous avions besoin d'un frappeur gaucher et nous sommes allés le chercher. »

Voilà un langage que les partisans des Expos aimeraient bien entendre aujourd'hui.

Rodney Scott et Warren Cromartie étaient les deux seuls gauchers chez les Expos, et ni l'un ni l'autre n'avait de puissance au bâton. McHale cherchait un cogneur et, curieusement, il a obtenu l'appui du gérant des Tigers, Sparky Anderson. « Je ne veux pas d'un joueur qui ne fait que se présenter au marbre. Je crois que ce genre d'athlète affaiblit une équipe. Rusty est encore excellent au bâton mais c'est tout ce qu'il peut faire », avait dit Sparky.

Staub donne une tout autre version de l'affaire. Anderson, un grand nom, avait été embauché en cours de saison pour remplacer Les Moss, qui se défendait pourtant bien. « Anderson voulait être le seul maître à bord, raconte Staub encore aujourd'hui. J'étais le représentant des Tigers au sein de l'Association des joueurs et avec moi dans le vestiaire, il n'aurait pas pu agir sans rendre de comptes. »

L'argument a du poids puisque l'année précédente, Staub avait connu une saison extraordinaire dans le rôle de frappeur délégué : il avait participé aux 162 parties du calendrier et produit 121 points, un chiffre exceptionnel. Mais son passage à Montréal soulevait des questions.

« Il n'y a pas de frappeurs délégués dans la Ligue nationale, alors où jouera-t-il ? »

Lorsqu'un telle question vient d'un coéquipier — le lanceur Ross Grimsley —, on imagine facilement l'ambiance dans le vestiaire. « Je trouve que 200 000 $ est une somme importante pour un joueur qui passera la plupart du temps sur le banc. Staub peut nous aider mais il faut lui trouver une position en défense. »

Le monde du baseball savait que Staub était lent, qu'il portait autour de la taille quelques livres en trop et que son bras n'effrayait plus les coureurs. Le Grand Orange n'était plus le jeune athlète qui avait soulevé les foules au parc Jarry. La décision de McHale et Williams était risquée.

Devant les médias, Williams a vite pris la défense de son homme. « Rusty n'a plus un bras puissant mais il connaît les frappeurs adverses et il compensera en se positionnant au bon endroit. Nous ne l'avons pas ramené à Montréal pour ses talents défensifs, nous cherchions un bon frappeur et surtout un gagneur. »

Williams avait dressé le plan suivant : Staub remplacerait tour à tour Tony Perez au premier but et Ellis Valentine au champ droit.

« Un peu premier but, un peu voltigeur et un peu frappeur d'urgence, voilà ce qui m'attend », a expliqué Staub aux journalistes qui se réjouissaient de retrouver cet impeccable gentleman.

« Je suis motivé parce que je reviens dans une ville que j'aime beaucoup et parce que je ne crois pas qu'on m'ait embauché pour vendre des billets. La direction des Expos s'attend à ce que j'aide l'équipe à gagner. »

À son premier match, en deuxième manche, Staub s'est blessé en courant à la poursuite d'un ballon...

« Deux excellentes manches de baseball ! Merci d'avoir traversé le continent pour venir à notre rescousse, Rusty », a crié Tony Perez alors que Staub quittait le terrain accompagné des soigneurs.

« Le Grand Orange frappe pour 1.000 et maintenant il restera assis pour protéger cette moyenne », a ajouté Gary Carter. Staub rougissait d'embarras. Il avait en effet obtenu un simple à sa première présence au bâton. Après le match, Staub a mentionné que le long voyage jusqu'en Californie avait sans doute causé sa blessure à l'aine.

La veille, Staub se trouvait dans un hôtel du Minnesota, où il offrait des conseils à quelques jeunes coéquipiers des Tigers. Il leur avait aussi affirmé qu'il serait bientôt échangé. « J'étais heureux d'apprendre la nouvelle parce qu'il ne me restait plus beaucoup de temps comme joueur actif. Je me suis rendu en vitesse à Detroit, puis à Los Angeles. Je n'ai presque pas dormi et, dès le début de la partie, il m'a fallu courir brusquement pour capter ce ballon. Je me suis blessé à l'aine et, même si je pouvais toujours frapper, je ne pouvais plus me déplacer.

Staub n'a pas participé aux six matchs suivants, que les Expos disputaient à l'étranger. Son retour à Montréal était par contre attendu avec beaucoup d'enthousiasme. Les partisans des Expos retrouvaient celui qui avait porté sur ses épaules leur club d'expansion de 1969 à 1971. Mais la scène avait changé : l'énorme Stade olympique de béton remplaçait le pittoresque parc Jarry et Staub ne portait pas son célèbre numéro 10, alors propriété d'Andre Dawson. (Staub lui a offert 2000 $ pour changer de maillot. Dawson a refusé et le nouvel Expo a dû se contenter du numéro 6.)

Le 27 juillet, pour une visite des Pirates, la plus importante foule de l'histoire des Expos — 59 260 personnes — prenait place dans une ambiance électrique pour assister à un programme double. Staub n'était pas de la formation partante mais, à 20 h 36 exactement, Williams faisait appel à lui comme frappeur d'urgence à la place d'Elias Sosa. L'annonceur maison n'avait pas encore mentionné le changement de joueurs quand la foule s'est levée en voyant l'homme aux cheveux roux sortir de l'enclos. Staub a figé sur place, puis il a enlevé sa casquette et a salué ses admirateurs. Une longue et émouvante ovation a suivi. Merci pour 1969...

Chuck Tanner, le gérant des Pirates, a répondu en remplaçant le droitier Kent Tekulve par le releveur gaucher Grant Jackson. Pendant les huit lancers d'échauffement de Jackson, les applaudissements et les cris n'ont pas cessé. Staub a salué de la casquette plusieurs fois avant de finalement s'installer au marbre.

Il s'élança sur le premier lancer et Dave Parker, le voltigeur de droite de Pittsburgh, aurait pu lire un journal et capter la haute chandelle en même temps.

Staub commença le deuxième match au premier but. Il obtint deux buts sur balles et aucun coup sûr en deux présences officielles. Son retour à Montréal n'avait pas été un succès, surtout que les Pirates avaient balayé le programme double avec des victoires de 5-4 et 9-1.

« C'est la vie, messieurs, a dit Staub aux journalistes qui l'entouraient après le match. Nous savons tous que les choses ne se passent pas toujours comme on le voudrait... »

L'ovation l'avait tout de même amené au bord des larmes. « C'est peut-être le plus beau moment de ma carrière. Mais je connais les gens de Montréal, je sais à quel point ils peuvent être gentils. Je n'ai jamais été aussi transporté par une foule.

« J'ai eu droit à une ovation du genre au match des étoiles en 1968. Mais les circonstances étaient très différentes : la partie avait lieu à Houston et j'étais le seul représentant des Astros... »

Le lendemain, Staub produisait deux points avec deux simples et les Expos battaient les Pirates 5-3. « Après l'ovation de la veille et ma performance ratée, je me sentais plus à l'aise en marchant dans la rue ce soir-là. »

Mais le retour du Grand Orange n'a pas produit les résultats escomptés. Les Expos ont terminé la saison au deuxième rang, derrière les Pirates, et Staub a offert une modeste moyenne au bâton de .267 en 38 parties. Peu après, lui et McHale se sont disputés à propos d'une clause de contrat que le d.g. des Expos avait mal interprétée.

Le conflit traîna jusqu'en décembre et le président du club, Charles Bronfman, se rendit au restaurant Rusty Staub's à New York pour tenter de conclure une entente. (Bronfman et sa famille se rendaient de Montréal à la Jamaïque pour les vacances de Noël.)

« Mon contrat avec les Tigers stipulait qu'on devait m'offrir une nouvelle entente de trois ans pour un million. La direction des Expos m'offrait 450 000 $ pour deux ans, mais j'avais un document signé et je n'avais aucune intention de le jeter à la poubelle. J'ai remercié Bronfman et McHale, mais je leur ai dit que je voulais ce qui m'était dû. »

Staub est finalement passé aux Rangers du Texas pendant le camp d'entraînement des Expos, où il disputait le poste de premier but à une vedette montante, Warren Cromartie. L'année suivante, en 1981, on le retrouvait chez les Mets avec en mains un contrat d'un million pour trois ans.

Les mêmes Mets avaient acquis Staub des Expos en 1972 en échange de Tim Foli, Mike Jorgensen et Ken Singleton. Cette transaction avait beaucoup surpris, mais pendant le camp d'entraînement en Floride, le gérant Gene Mauch avait fourni un indice de ce qui devait suivre.

Staub raconte : « Mauch nous faisait travailler très fort. Nous devions courir sur de longues distances. Il imposait en plus des couvre-feux, ce qui n'est pas habituel. Je débranchais le téléphone de ma chambre pour mieux dormir, mais Gene n'a pas apprécié et il m'a engueulé dans son bureau. »

Une grève du baseball a suivi peu après et Staub est revenu à son logement du 3, Westmount Square. John McHale habitait le même immeuble et il a invité son joueur étoile à le rencontrer. « Je croyais qu'il voulait s'informer du déroulement de la grève, puisque j'étais impliqué dans les négociations. Il m'a plutôt annoncé que j'étais échangé aux Mets. C'est la seule transaction que je n'ai pas anticipée. Avec le recul, j'aurais dû m'en douter parce que les dirigeants des Mets, que j'avais rencontrés à un office religieux en Floride, avaient été particulièrement gentils à mon endroit. »

Rusty Staub était, au début des années 1970, une personnalité très en vue à Montréal. Sa popularité égalait celle des joueurs du Canadien, des institutions aussi sérieuses que la Banque de Montréal l'embauchaient pour animer des campagnes de promotion et on le voyait dans les restaurants chics et les grandes soirées.

Son agent de l'époque, Gerry Patterson, avait écrit un livre sur ses clients, dont la skieuse Nancy Green et Jean Béliveau. Il avait intitulé le chapitre sur Staub « Les Expos ne l'échangeront jamais ! »

« Les médias voulaient faire de moi un *play-boy* à la Joe Namath, la coqueluche de New York. Je suis sorti avec plusieurs femmes — celles de Montréal sont superbes — mais je protégeais ma vie privée et on me voyait rarement en compagnie de mes compagnes. »

À tel point que des rumeurs circulaient sans cesse au sujet de l'orientation sexuelle de ce célibataire raffiné. Jean Beaunoyer, un journaliste de *La Presse,* questionna Staub à ce sujet en 1979. Sans sourciller, toujours parfait gentleman, le Grand Orange a répondu qu'il y avait dans sa vie « des amitiés particulières ».

Le numéro 10 de Rusty Staub a été le premier retiré par l'organisation des Expos, et cet honneur n'était pas dû qu'à son coup de bâton. Son immense popularité avait fait de Rusty le premier véritable héros du club.

La cérémonie du 15 mai 1993 n'a pas été appréciée par tous. Andre Dawson, qui avait porté le même numéro pendant 10 ans, ainsi que la plupart des journalistes locaux n'étaient pas d'accord. « Rusty a joué pour les Expos pendant seulement trois ans », a même lancé Dawson peu après l'événement.

Staub a répondu par la voie des médias avec sa délicatesse habituelle. « Andre aura droit à son jour de gloire lui aussi. Il y a de la place pour deux numéros 10 et je serai présent quand on retirera le sien. Andre est un des meilleurs hommes que j'aie rencontrés dans ma vie. Pas bavard, mais très bien… »

Staub a depuis vendu son restaurant et perdu son poste au réseau SportsChannel, où il a été commentateur des matchs des Mets pendant 10 ans. En 1997, les Expos ont hésité entre lui et Gary

Carter comme commentateur de leurs matchs. Ils ont finalement choisi Carter, mais Staub n'en veut à personne.

« J'ai des investissements dans The Winery, un groupe qui importe du vin aux États-Unis, et je me plais beaucoup dans ce milieu ainsi que dans le milieu de la cuisine. Je profite de la vie loin du baseball… »

On ne rencontre pas souvent, dans le monde du sport ou ailleurs, des personnes aussi uniques et affables que le Grand Orange.

27 FRAPPEURS, 27 RETRAITS…

Chapitre 12

27 FRAPPEURS, 27 RETRAITS…

En 1991, les performances des Expos étaient tout simplement affreuses, et on ne peut dire que la joie régnait. En fait, rien ne fonctionnait sous les ordres du gérant Tom Runnells et le receveur Mike Fitzgerald a avoué aux journalistes qu'il n'avait pas vu, en cinq années, le moral des troupes aussi bas.

Quelques jours après la sortie de Fitzgerald, Dennis Martinez allait fournir l'un des rares moments brillants de la saison. Celui que l'on surnommait El Presidente n'a pas fait les choses à moitié : il a retiré les 27 frappeurs à lui faire face le 28 juillet au stade des Dodgers à Los Angeles. Un match parfait.

Juan Samuel, lui aussi originaire du Nicaragua, a encore des remords quand il se souvient de cette soirée. En septième manche, il a tenté de déjouer Martinez avec un amorti le long de la ligne du premier but. « Nous perdions 2-0 et je voulais secouer mon équipe avec une surprise. Quand je suis retourné au banc, j'ai réalisé que Dennis n'avait pas accordé un seul coup sûr. Si j'avais su, je n'aurais pas agi de la sorte. Je n'aurais pas voulu gâcher sa performance avec un petit coup sournois. Je vis à Miami près de chez Dennis et nous amassons tous les deux des fonds pour les pauvres de notre pays. Je me serais senti tellement mal… »

Mais Martinez a retiré Samuel au premier, en cueillant la balle de sa main nue. Le relais au premier a forcé Larry Walker à s'étirer pour compléter le jeu avec un geste acrobatique.

« J'aurais dû saisir la balle de mes deux mains, comme il se doit. J'ai pris un risque inutile. J'avais amplement de temps pour retirer le coureur, mais Walker a dû s'étendre de tout son long pour garder un pied sur le but… »

Martinez a revu le match sur vidéo au moins six fois. Il s'agit du plus grand exploit d'un lanceur dans l'histoire des Expos. Martinez avait 36 ans, il en était à sa 15e saison dans les majeures et une rumeur voulait alors qu'il soit échangé aux Blue Jays contre Denis Boucher, un espoir de l'organisation torontoise. Les Expos ont refusé cette offre ridicule.

Le matin du match, Martinez avait laissé partir l'autobus qui amenait les joueurs de l'hôtel au stade. Le lanceur partant est exempté des exercices d'avant-match, et Martinez dit avoir assisté à une messe pendant que ses coéquipiers se préparaient. (Dans d'autres entrevues, il ne se souvenait pas précisément s'il s'était rendu à l'église la veille ou le jour même…)

« Une fois au stade, pendant ma période d'échauffement, je me sentais en grande forme, j'avais la précision, la concentration, la force, tout était là. Mais je n'ai jamais pensé que je lancerais aussi bien. »

« Martinez est toujours impeccable pendant l'échauffement d'avant-match », raconte Larry Bearnarth, alors entraîneur des lanceurs. « Sa rapide bougeait beaucoup ce jour-là. Il n'a pas utilisé tellement de courbes et de changements de vitesse au cours du match… »

Quatre-vingt pour cent des 96 lancers de Martinez ont été des rapides. Seulement 30 n'ont pas touché la cible. C'est dire à quel point il avait le contrôle du match.

« Son contrôle était presque parfait, se souvient Alfredo Griffin, joueur de deuxième but des Dodgers. Sa glissante nous a tous déjoués, il avait confiance en chacun de ses lancers. Et puis il s'améliorait à mesure que le match avançait. C'était le deuxième match parfait dans lequel j'étais impliqué. Len Barker des Indians de Cleveland nous avait fait le coup, alors que je jouais à Toronto, avec une longue courbe et des rapides de 90 milles à l'heure. » Ce même Griffin a commis deux erreurs qui ont permis aux Expos de remporter le match.

Deux jours avant l'exploit de Martinez, Mark Gardner avait lancé neuf manches sans accorder un coup sûr… avant de perdre le match 1-0 en 10e. Le moral des Expos était au plus bas.

Martinez : « L'équipe n'allait nulle part à l'époque, mais le soir de mon match parfait, je n'ai commis aucune erreur. Rien que des bons lancers. C'était incroyable. Les Dodgers n'ont frappé aucun coup menaçant. Le lanceur adverse, Mike Morgan, a cogné une flèche au champ centre que Marquis Grissom a captée. Ce fut le jeu le plus inquiétant pour moi. »

En quatrième manche, les soigneurs Ron McLain et Mike Kozak ont dû se rendre au monticule parce que Martinez éprouvait un malaise au côté droit. Les soigneurs ont frotté leur lanceur avec de l'ammoniaque pour le rafraîchir. Et puis le receveur Ron Hassey a oublié la superstition légendaire des athlètes : « Tu es parfait jusqu'ici… »

« Ça ne m'a pas dérangé, dit Martinez. Je ne crois pas à ces superstitions. » Hassey en a profité pour livrer son information à tous les autres joueurs…

« Ron a fait de l'excellent travail ce soir-là. Il me montrait une grande cible en exagérant ses gestes. Il comprenait comment j'avais l'intention de travailler et j'ai accepté environ la moitié de ses demandes de lancers. Lui et Gary Carter ont été mes receveurs préférés chez les Expos. Ils étaient toujours alertes et ils étaient de la vieille école, c'est-à-dire qu'ils éprouvaient beaucoup d'orgueil pour nos performances sur un terrain de baseball. Ces deux-là savent à quel point nous sommes fiers de notre travail. Plus tôt dans ma carrière, j'ai beaucoup aimé travailler avec les receveurs Jeff Reed et Nelson Santovenia. »

Martinez n'a vraiment réalisé qu'en sixième manche qu'une belle occasion se présentait. Ron Hassey venait de réussir le premier coup sûr des Expos contre Morgan. « Je me suis aperçu tout à coup que je lançais un match sans coup sûr moi aussi. Je suis devenu très sérieux à ce moment-là. Je me suis dit que ça serait bien de les blanchir encore en septième manche. Puis en huitième…

« Quand je suis retourné au monticule pour la neuvième, je tremblais. Il a fallu que je marche un peu derrière la butte pour me calmer. La foule (45 000 spectateurs) m'applaudissait et m'encourageait. Je demandé l'aide de Dieu… »

D'abord un ballon de Mike Sciosca qu'Ivan Calderon a capté facilement dans la gauche. Les Dodgers ont suivi avec un frappeur d'urgence, Stan Javier. Retrait sur des prises.

Le frappeur suivant, Chris Gwynn, n'est pas aussi redoutable que son aîné Tony, mais il a fait très peur aux Expos en ces instants tendus. Gwynn a d'abord frappé une flèche le long de la ligne du troisième but. Fausse balle par quelques pouces. Sur le deuxième lancer, Gwynn cogne un court ballon au champ centre et Marquis Grissom, qui aimait se placer loin, a eu besoin de toute sa vitesse pour réussir le retrait historique.

« Je ne savais pas où Marquis était placé quand la balle s'est envolée. Elle n'était pas frappée durement et assez haute pour qu'il ait le temps de s'y rendre. »

Quand la balle est tombée dans le gant de son coéquipier, Dennis Martinez a levé les bras et s'est tourné vers son joueur de troisième but Tim Wallach. Les deux hommes ne s'aimaient pas. Wallach n'appréciait pas que Martinez se plaigne aux journalistes à propos des mauvaises performances du club. Wallach était un homme silencieux et très respecté dans le vestiaire des Expos. Martinez, au contraire, entretenait de mauvaises relations avec la plupart des joueurs. Mais ce jour-là, les frères ennemis ont échangé une longue accolade.

« Pour une fois, Wallach montrait ce qu'il ressentait. Il y avait tout de même quelque chose de bien entre nous malgré les conflits. Nous nous sommes serrés longtemps et je me suis mis à pleurer dans ses bras. »

Quelques minutes plus tard, dans l'abri des visiteurs, les caméras de télévision ont longuement montré Martinez se tenant la tête à deux mains en sanglotant doucement.

« J'ai remercié Dieu, j'ai pensé à tous ces gens à Montréal qui m'ont si bien traité. J'étais un peu engourdi, je croyais que je rêvais et je me mordais la langue pour me réveiller. »

« J'ai donné une série d'entrevues après le match et tout le monde a attendu parce qu'un avion devait nous amener à San Francisco immédiatement après le match. Ils ne pouvaient pas partir sans moi et je me souviens que personne ne s'en est plaint. »

Une fois à San Francisco, Dennis Martinez a célébré au Perrier, lui qui avait renoncé à l'alcool quelques années plus tôt.

Commença alors une longue suite d'hommages, de cérémonies et d'interviews qui allait s'étirer dans trois pays. D'abord aux États-Unis, où Martinez était invité à de prestigieux *talk shows*. De retour à Montréal, la direction des Expos lui offrait en public une voiture et une photo encadrée. Trois semaines plus tard, Martinez prenait le chemin du Nicaragua, accompagné de journalistes de *La Presse,* du *Journal de Montréal* et de la *Gazette.* Dans sa ville natale de Granada, le maire lui a remis les clefs de la ville. Suivit un dîner en privé avec la présidente, la « vraie », Violeta Barrios de Chamarro. « Dennis aurait pu être élu président du Nicaragua à ce moment-là », nous jure son adversaire et ami, Juan Samuel.

Dennis Martinez a quitté les Expos en 1993 dans ce qui allait devenir un scénario habituel pour les partisans des Expos. Un énorme contrat des Indians de Cleveland, qui bâtissaient une puissante équipe dans le but d'emplir leur nouveau stade, est venu creuser un trou dans la rotation des partants montréalais.

Mais en 1997, les Expos ont invité Martinez, alors sans contrat, à leur camp d'entraînement en Floride. Le directeur général, Jim Beattie, lui offrait un essai au camp d'entraînement. Mais pas question de lui offrir de contrat ni de payer ses dépenses de déplacement, de logement et de repas. En fait, Beattie craignait de devoir payer pour les soins que les nombreuses vieilles blessures de Martinez risquaient de provoquer à tout instant. Le lanceur de 42 ans s'est dit insulté.

Pour quelques milliers de dollars, la réunion n'a pas eu lieu, et plusieurs fans des Expos ont mal accepté la décision. Ils allaient avoir bien d'autres occasions de maugréer...

28 juillet 1991, DODGER STADIUM

Expos 2 – Dodgers 0

MONTRÉAL   LOS ANGELES

	AB	P	CS	PP		AB	P	CS	PP
Delino DeShields 2b	3	0	1	0	Brett Butler cc	3	0	0	0
Marquis Grissom cc	4	0	0	0	Juan Samuel 2b	3	0	0	0
Dave Martinez cd	4	1	0	0	Eddie Murray 1b	3	0	0	0
Ivan Calderon cg	3	0	0	0	Darryl Strawberry cd	3	0	0	0
Tim Wallach 3b	4	0	0	0	Kal Daniels cg	3	0	0	0
Larry Walker 1b	4	1	1	1	Lenny Harris 3b	3	0	0	0
Ron Hassey r	3	0	1	0	Mike Scioscia r	3	0	0	0
Spike Owen ac	3	0	0	0	Alfredo Griffin ac	3	0	0	0
Dennis Martinez l	3	0	1	0	Stan Javier fs	1	0	0	0
					Mike Morgan l	2	0	0	0
					Chris Gwynn fs	1	0	0	0
Totaux	31	2	4	1	Totaux	27	0	0	0

Montréal	000	000	200-2
Los Angeles	000	000	000-2

E-Griffin 2 (20). LSB-Montréal 4. 3B-Walker (2). RTV-Hassey (1).
S-Calderon. ML-Morgan.

Montréal	M	CS	P	PM	BB	RB
Dennis Martinez G, 11-6	9	0	0	0	0	5
Los Angeles						
Mike Morgan P, 9-6	9	4	2	1	5	5

Arbitres – Marbre, Larry Poncino; 1B, Bruce Froemming;
        2B, Dana DeMuth; 3B, Greg Bonin
Durée : 2 heures 14 min – Assistance : 45 560

LA FEMME DE TON PROCHAIN...

Chapitre 13

LA FEMME DE TON PROCHAIN...

L'adultère, lorsqu'il est pratiqué dans les milieux du show business, fait la joie des journaux à potins et des chroniques mondaines. Mais dans le monde du sport, les aventures illicites sont rarement racontées par les médias.

Les athlètes trompent leurs femmes avec une belle régularité lorsqu'ils voyagent, mais les journalistes ferment les yeux. Ils ont intérêt à conserver les meilleures relations possibles s'ils veulent continuer à pratiquer leur métier. Même chose en ce qui concerne la drogue. Si un journaliste surprend un joueur en train de fumer un joint ou de tirer une ligne de cocaïne, il agira comme s'il n'avait rien vu. Mais lorsqu'une organisation sportive enquête sur un athlète, l'affaire devient publique.

Quand une femme intente une poursuite de paternité, là encore les journalistes n'hésiteront pas à le rapporter. Dave Winfield, Marquis Grissom, Otis Nixon et Andre Dawson, entre autres, ont comparu devant des tribunaux des États-Unis, où la poursuite en justice est un sport en soi, pour avoir fait des enfants à des dames autres que leur épouse.

Wade Boggs a été traîné en cour par une certaine Margo Adams, qui fut sa maîtresse pendant plusieurs années. Elle prétendait avoir droit à une partie de son argent parce qu'elle était sa compagne de voyage pendant que l'épouse légitime demeurait à la maison. Mademoiselle Adams a perdu sa cause.

Cela vient du fait que les joueurs de baseball ont beaucoup de temps libre au cours de leurs déplacements. Les matchs prennent fin entre 22 h 30 et 23 h, et les joueurs ne retournent pas au stade avant 16 h le lendemain. Alors, que faire ? Plusieurs d'entre eux visitent des bars où se trouvent des femmes très heureuses de rencontrer des jeunes hommes riches et célèbres.

Andre Dawson, dont les Expos ont retiré le chandail en 1997, a eu deux enfants avec deux hôtesses de l'air. Son épouse, Vanessa, est une personne très tolérante ; le couple Dawson tient toujours après 18 ans même si 1000 $ par mois vont à Jackie Phillips, hôtesse de la compagnie Delta et mère d'une fille de neuf ans, ainsi qu'à Sandra Kilgore, employée de USAir et mère d'un garçon de huit ans.

Mais en 1987, une étrange histoire s'est déroulée dans les bureaux de la direction des Expos : le directeur général Murray Cook froissait des draps avec l'épouse du président Claude Brochu, qui en était à sa première saison à la tête du club.

Brochu arrivait du groupe Seagram, où il travaillait sous les ordres d'un des actionnaires principaux, Charles Bronfman, le propriétaire des Expos. Le 1er septembre 1986, Brochu avait succombé aux pressions de Bronfman et s'était installé au Stade olympique... à quelques mètres du bureau de Murray Cook, le directeur général en poste depuis 1984.

Cook rencontra l'épouse de son nouveau patron quelques semaines plus tard. La liaison commença presque aussitôt. Cook avait quitté sa femme et mis fin à un mariage de 25 ans pendant le camp d'entraînement de cette saison 1987.

Le 11 août, après une défaite de 6-2 des Expos au stade Shea, Brochu décida qu'il en avait assez et le club annonça aux médias, dans un communiqué de quatre paragraphes, que Murray Cook démissionnait pour des « raisons familiales ». Le démissionnaire n'avait pas assisté au match tandis que Brochu et son vice-président Bill Stoneman avaient quitté leurs bureaux de Montréal pour se rendre dans la métropole américaine où ils n'étaient disponibles pour aucun journaliste.

Quelques jours plus tard, au cours d'une conférence de presse tenue dans le bureau du gérant Buck Rodgers, Cook fit savoir que ses enfants avaient des problèmes, ce qui était vrai. Sa fille de

23 ans et son fils de 21 ans étaient tous deux en cure de désintoxication alors qu'un autre fils, âgé de 17 ans, avait des difficultés d'apprentissage. « J'ai besoin d'être près de mes enfants. Vous savez tous qu'ils sont très vulnérables. Je songeais à remettre ma démission depuis un certain temps. C'est la décision la plus difficile de ma vie. »

Deux semaines avant le grand remue-ménage, Cook avait confié son dilemme à Charles Bronfman, mais la direction des Expos a choisi d'étouffer l'affaire.

L'organisation des Expos n'a rendu aucun hommage à Murray Cook ce jour-là, et le mot « regret » n'apparaissait pas dans leurs communiqués, ce qui piqua la curiosité de certains journalistes, d'autant plus que les membres de la direction longeaient les murs et se montraient peu enclins à répondre aux questions.

— C'est certainement une histoire de femme », a dit le vétéran chroniqueur de la *Gazette,* Tim Burke, à Charles Bronfman, qui a tout nié.

Bronfman a remercié Murray Cook pour son excellent travail comme directeur général. Il avait tout à fait raison. Les Expos de 1984 étaient affreux et le d.g. avait complètement relancé l'organisation. Cook embauchait des hommes de talent qui ont bien servi les Expos par la suite. Claude Brochu a lui-même fini par reconnaître sa contribution. « Murray a fait de l'excellent travail. Je me suis toujours bien entendu avec lui mais il a de graves problèmes personnels. »

Toujours rien ne filtrait sur la véritable raison de son départ, tandis que le président des Expos continuait de nier les rumeurs et que ses joueurs demandaient aux journalistes ce qui s'était vraiment passé. « Cette affaire est bizarre », disait Herm Winnigham. « Vraiment bizarre, ajoutait Mitch Webster. On aimerait bien en savoir plus... » Le vétéran Hubie Brooks déclara : « Nous aimerions connaître la véritable cause de sa démission. Nous sommes tous curieux. J'espère qu'il ne s'agit pas d'une maladie grave. »

Les journalistes anglophones n'ont jamais osé publier la vérité sur le départ de Cook, de peur d'être poursuivis. C'est finalement Serge Touchette, chroniqueur de baseball au *Journal de Montréal,* qui a « sorti » la véritable « histoire » avec son humour habituel. « Il le fallait. Tout ce qu'on nous disait était faux.

L'excuse des enfants en difficulté n'était pas la vraie raison de son départ. »

Au moment de la démission de Murray Cook, le gérant Buck Rodgers, qui lui devait son poste, ne savait rien. « Ce soir-là à New York, Murray et moi avons parlé très tard de la suspension de Pascual Perez pour possession de drogues. Puis Murray m'a téléphoné le lendemain à 9 h 30. Il voulait me voir immédiatement. Je me suis rendu à sa chambre où se trouvaient déjà Claude Brochu et Bill Stoneman. Quand je les ai vus tous les trois, je me suis dit « ça y est, je suis congédié. » J'en étais certain. Puis Claude Brochu m'a dit que Murray devait quitter les Expos pour des raisons personnelles. Ils en savaient tous plus que moi. »

Murray Cook téléphona à Buck Rodgers deux semaines plus tard et lui donna rendez-vous au Manoir Lemoyne, un hôtel situé à deux pas du Forum, où habitait le gérant des Expos. « Allons prendre un verre, dit Cook, tu es un ami et je ne t'ai pas dit la vérité. Claude [Brochu] ne me facilite pas les choses… »

Après avoir écouté Cook, Rodgers réagit avec la verve qui plaisait tant à ses fans. « Tu baises sa femme et tu me dis qu'il ne te facilite pas les choses ! Tu t'attendais à quoi ? »

« Murray était un peu naïf sur certaines questions », conclut plus tard Buck Rodgers en se souvenant de son rendez-vous au Manoir Lemoyne.

Murray Cook épousa Pamela Brochu au printemps de 1988. Ils vivent aujourd'hui à Washington. Neuf ans après sa démission, Cook refusait toujours de parler des événements qui ont provoqué son départ. Il est retourné au Stade olympique plusieurs fois comme dépisteur de clubs adverses, et aucun incident n'est survenu. Il a même bavardé avec Claude Brochu en quelques occasions.

« Il n'y a pas eu d'incident entre Claude et moi et je ne m'attendais pas à ce qu'il y ait de problème. Nos rencontres ont été amicales. Nous nous trouvions dans notre milieu de travail et tout s'est bien passé. » Serge Touchette, le chroniqueur vedette du *Journal de Montréal,* se souvient du retour de Murray et Pamela Cook au Stade olympique. « Cook voyageait avec les Reds de Cincinnati et il avait amené Pamela pour l'épouser à Montréal. Nous avions photographié le couple dans les gradins et publié une photo géante dans notre édition du lendemain. »

En 1996, Brochu a accepté de livrer ses commentaires sur « l'affaire » qui l'a fortement ébranlé. « La situation était inconfortable pour tout le monde. On est d'abord surpris mais, que voulez-vous, ce n'est pas la première fois qu'une telle chose se produit et ce ne sera certainement pas la dernière. La vie continue. On oublie et on va de l'avant. Personne n'est irremplaçable. Même le président des États-Unis peut être remplacé en quelques secondes…

« Il ne faut pas se laisser abattre par les épreuves de la vie, même quand elles sont très dures. Il faut se relever. Il y a des gens qui vivent des choses plus cruelles, de graves maladies par exemple, et qui ne capitulent jamais. J'admire beaucoup ces gens-là. »

Brochu n'a pas voulu dire comment il a eu vent de l'affaire et combien de temps s'est écoulé avant qu'il n'apprenne ce qui se tramait dans son dos. « Je préfère ne pas revenir là-dessus, mais je vous dirai que ça n'a pas traîné… »

Le président des Expos a même réussi à sourire pendant l'entrevue. « Au fond, c'est la meilleure chose qui pouvait m'arriver. J'ai rencontré une femme avec laquelle je vis un grand amour. » Claude Brochu et Michelle Denommée se sont mariés le 21 juillet 1991. Murray et Pamela ne faisaient pas partie des invités.

Cook a chômé pendant deux mois avant que la propriétaire des Reds de Cincinnati, Margie Schott, ne l'embauche comme directeur général. Schott ne mentionna pas les événements de Montréal, ce qui est étrange puisqu'elle n'approuvait pas que son gérant Davey Johnson vive avec sa conjointe hors des liens du mariage. On raconte à Cincinnati que Johnson a été congédié en 1995 pour cette raison, entre autres.

Murray Cook a été congédié par les Reds en 1989 et n'a plus jamais obtenu un autre poste de directeur général. Il est présentement dépisteur pour Dave Dombrowski et les Marlins de la Floride, et ses trois enfants vont bien…

Une affaire semblable s'était produite chez les Maple Leafs de Toronto. L'attaquant Gary Leeman avait emménagé avec la femme de son coéquipier Al Iafrate. Quand Leeman s'est présenté à une soirée organisée par le club avec l'ex-Mme Iafrate au bras, il a provoqué un profond malaise. Iafrate, un des meilleurs joueurs des Leafs, a été échangé aux Capitals de Washington.

Six ans après l'affaire « Murray Cook-Pamela et Claude Bro-chu », Claudine Cook, une employée des Expos qui n'a aucun lien de parenté avec Murray, a été fortement soupçonnée d'avoir causé le divorce de Larry Walker, grand baseballeur mais aussi grand coureur de jupons, qui ne se gênait pas pour parader avec ses nombreuses conquêtes devant coéquipiers et journalistes.

Lorsque Christa Walker, une beauté de Vancouver, a appris que son mari la trompait, elle l'a quitté aussitôt avec leur fille… de deux mois. Larry Walker a connu par la suite une baisse de performance sur le terrain et il a avoué au gérant Felipe Alou et au directeur général Dan Duquette que le départ de sa femme le troublait beaucoup.

Christa ne lui est jamais revenue, malgré de nombreuses supplications.

Les Cubs de Chicago ont connu le cas d'adultère le plus spectaculaire du petit monde du baseball. Leur grande vedette Ryne Sandberg, qui sera certainement élu au Temple de la renommée, a soudainement annoncé au milieu de la saison 1994 qu'il n'avait plus envie de jouer à cause de « problèmes matrimoniaux » et d'une relation difficile avec le directeur général Larry Himes. Une bombe !

Une semaine après cette annonce, son épouse, Cindy, demandait le divorce. Puis, pendant l'hiver de 1995, Sandberg a fait savoir aussi soudainement que le baseball lui manquait. Il était remarié et ne détestait plus Larry Himes.

Les journalistes ont finalement appris que Mme Sandberg avait eu une liaison avec Dave Martinez en 1988. À l'époque, Sandberg tenait absolument à sauver son mariage ; il avait pardonné l'écart de conduite de sa compagne mais il avait exigé, à titre de grande star, que la direction des Cubs se débarrasse de Martinez : « C'est lui ou moi ! »

Dave Martinez passa donc aux Expos en échange de Mitch Webster. À l'époque, les journalistes locaux avaient trouvé étrange que les Cubs cèdent un bon espoir de 23 ans contre Webster qui, à 29 ans, n'avait plus de force dans le bras…

ANDRE DAWSON :
LE MEILLEUR DE TOUS

Chapitre 14

ANDRE DAWSON :
LE MEILLEUR DE TOUS

La grande majorité des experts locaux s'accordent pour consacrer Andre Dawson meilleur joueur de la courte histoire des Expos. Le grand voltigeur a évolué pendant 20 saisons, dont 10 à Montréal, avant d'annoncer sa retraite en 1996. Ses statistiques lui permettent d'espérer une candidature au très sélect Temple de la renommée du baseball.

Dawson se déplaçait à grande vitesse avec l'élégance d'un cerf, ses mains étaient infaillibles en défense, la force de son bras a été comparée à celle de Roberto Clemente et son coup de bâton à un coup de tonnerre. Les rares opinions tièdes veulent qu'il ait manqué d'opportunisme, qu'il n'ait pas produit suffisamment sous pression.

Mais on pourrait aussi classer Dawson parmi les athlètes qui ont le plus souffert au cours de leur carrière. Lors d'une visite au Stade olympique en 1997, il avouait que la douleur l'accompagnait toujours, même dans la retraite. Les revues médicales pourraient en effet épiloguer sur ses nombreuses blessures aux genoux. Dawson a été opéré 12 fois — sept fois au genou gauche, cinq fois au droit — sans compter toutes les injections et ponctions visant à extraire du liquide de ses deux misérables articulations. En 1984, il a songé à abandonner le baseball. Mais, malgré toutes ces souffrances, Dawson a persisté jusqu'à l'âge de 42 ans.

« J'ai vraiment poussé mon corps à la limite. Je jouais à fond de train malgré les risques et les douleurs. On me dit maintenant qu'il faudra reconstruire mes genoux un de ces jours. J'espère pouvoir attendre encore un peu. »

Les problèmes physiques de Dawson ont commencé dès 1971, lors d'un match de football avec l'équipe d'une école secondaire de Floride. Après une première visite chez le chirurgien, Dawson a choisi de consacrer ses efforts à un sport sans contact : le baseball. Les Expos l'ont sélectionné en 11e ronde du repêchage amateur de 1975.

Après avoir empoché un de boni de 2000 $, Dawson a été vite testé par la direction des Expos. Le début de sa carrière professionnelle a eu lieu à Lethbridge, en Alberta, dans la Ligue des Pionniers, où l'on forme la jeunesse. « La Ligue des Pionniers pourrait s'appeler la Ligue des longs voyages en autobus très lents », écrit Dawson dans son autobiographie.

« Nous voyagions à travers les Rocheuses et l'autobus devait ralentir dans les côtes, ce qui étirait le temps. Le conducteur avait une seule cassette : *Les Grands Succès des Beach Boys*. Je me souviens de toutes les paroles de ces chansons ; j'ai eu le temps de les apprendre par cœur. »

Dawson se souvient d'avoir partagé un logement avec trois autres joueurs. Son salaire était de 500 $ par mois… « et il fallait payer le loyer ».

Mais les dépisteurs des Expos ne s'étaient pas trompés. Dawson a tout de suite effacé une série de records établis par Steve Garvey, la grande star des Dodgers, et mérité le titre de Joueur par excellence de la Ligue des Pionniers. L'année suivante, il sautait l'étape du niveau A et se rendait à Québec, avec les Carnavals, la filiale de niveau AA.

« J'ai vu la neige pour la première fois de ma vie. À Lethbridge, j'avais passé un été seulement. À Québec, le froid m'a beaucoup surpris. »

Mais le coup de bâton tonnait toujours, et les Expos l'ont promu à Denver et au baseball AAA après quelques mois seulement à Québec. Douze circuits en 14 parties ont convaincu la direction des Expos de l'amener à Montréal en septembre. C'était en 1976, seulement trois ans après l'école secondaire, et Dawson n'est jamais retourné dans les mineures. Les Expos avaient en mains un bijou, une recrue de 22 ans autour de laquelle ils pouvaient bâtir leur équipe.

Le titre de recrue par excellence de la Ligue nationale a confirmé les espoirs en 1977. Dix-neuf circuits et 65 points produits ont séduit les journalistes-voteurs, même ceux de New York qui exercent une énorme influence et qui ignorent souvent les équipes canadiennes. Dawson a continué de progresser jusqu'à sa meilleure saison à Montréal, celle de 1983 : 32 circuits, dont 22 à l'étranger, 152 coups sûrs de plus d'un but et 18 ballons sacrifices.

Mais lorsqu'il pense aux Expos, Dawson parle surtout de la saison 1981, celle où une balle frappée par Rick Monday des Dodgers, contre Steve Rogers, s'est envolée au-dessus de sa tête, amenant avec elle les espoirs de participer à la Série mondiale. « Je croyais que la balle demeurerait en jeu, jusqu'à ce que je m'écrase contre la clôture en la poursuivant. »

Après la saison 1986, Dawson était joueur autonome et en bonne position de toucher le magot dont tous les baseballeurs rêvent. Il allait découvrir, au cours de l'hiver, que la collusion entre propriétaires de clubs existait bel et bien. Payé 1,2 million en 1986, il s'est vu offrir par le d.g. Murray Cook un million pour l'année suivante. Les propriétaires de clubs avaient décidé de s'attaquer à la flambée des salaires et ils boycottaient la plupart des joueurs autonomes.

Dawson en voulait à la direction des Expos, qu'il avait bien servie pendant 10 ans. « Il s'agissait d'un manque de respect à mon endroit. J'ai su que Charles Bronfman était d'accord pour un contrat de deux ans à trois millions, mais Cook m'offrait une diminution de salaire. J'étais insulté et j'ai compris le message. »

La suite des événements est bien connue dans le milieu du baseball : Dawson et son agent, Dick Moss, se sont présentés au bureau de Dallas Green, le directeur général des Cubs de Chicago, et lui ont demandé d'inscrire sur un contrat la somme qu'il désirait payer. Green ne leur a pas fait de cadeau : il a inscrit 500 000 $, la moitié de l'offre des Expos. Mais Dawson a signé le contrat des Cubs sans protester : il savait que sa carrière devait se poursuivre sur un terrain de gazon naturel, ses genoux ne pouvant plus résister au gazon synthétique. Il aimait aussi le Wrigley Field, un paradis pour frappeurs, ainsi que la ville de Chicago. Et puis les Cubs voulaient de lui, malgré ses vieilles blessures.

« Je ne considérais pas que les Cubs m'exploitaient, je comprenais leur point de vue. Les Expos m'ont tassé dans un coin. J'aurais aimé terminer ma carrière à Montréal, mais j'avais une occasion de quitter le gazon synthétique, ce qui était absolument nécessaire. »

Le choix de Dawson a été le bon. Dans l'uniforme des Expos, il avait terminé deuxième au scrutin du Joueur par excellence de la Nationale en 1983 ainsi qu'en 1984. Mais en 1987, avec les Cubs, il mettait finalement la main sur le prestigieux trophée grâce à une saison remarquable : 49 circuits, le deuxième total le plus élevé de l'histoire des Cubs (après les 56 de Hack Wilson en 1930), et 137 points produits. Le gazon naturel lui allait en effet très bien.

Dawson a passé cinq ans à Chicago avant de signer un contrat de deux ans avec les Red Sox de Boston, où il a cogné le 400e circuit de sa carrière. En 1994, à un pas de la retraite, l'équipe de son coin de pays, les Marlins de la Floride l'ont convaincu de jouer deux années de plus.

En 1993, la rancune qu'il entretenait envers les Expos est réapparue lorsque ces derniers ont retiré le numéro de Rusty Staub, que Dawson avait aussi porté pendant 10 ans. « Pourquoi retirer son maillot alors qu'il a joué pendant trois ans à Montréal et moi dix ? »

La querelle a pris fin en janvier 1997, quand Claude Brochu a admis Dawson au Temple de la renommée des Expos. Pour le convaincre d'assister aux cérémonies, le président des Expos a délégué Rodger Brulotte, l'homme à tout faire du club, en Floride. Brulotte a convaincu son homme en lui demandant la permission de retirer son chandail.

Les Expos devenaient la deuxième organisation à retirer le même numéro deux fois. Les Yankees de New York ont agi de la sorte, en un seul jour, avec le numéro huit porté par les receveurs Bill Dickey et Yogi Berra.

Mais Claude Brochu a surtout réparé une injustice et empoché un peu de capital-sympathie à un moment où son organisation en avait grandement besoin.

LES BONS ET MAUVAIS SOUVENIRS DE JEFF REARDON

Chapitre 15

LES BONS ET MAUVAIS SOUVENIRS DE JEFF REARDON

Trois fois, le gérant des Expos, Bill Virdon, a demandé au releveur Jeff Reardon de raser sa barbe. Virdon avait l'allure et la mentalité du militaire, il portait les cheveux coupés en brosse et des lunettes à monture métallique. On disait de lui que sourire le faisait souffrir…

« Il détestait vraiment les barbes, se souvient Reardon. Je me suis rendu au bureau de John McHale pour protester et McHale m'a répondu : "Ne la rase pas." »

« Je m'étais laissé pousser la barbe en 1980, et ma confiance avait aussitôt été meilleure. J'avais l'air plus méchant et les frappeurs semblaient le croire. La barbe était ma marque de commerce et un atout de plus à mon répertoire. »

Dans un sondage commandité par la compagnie Rolaids, Reardon a été désigné releveur numéro un des années 1980 pour tout le baseball majeur. Ses 367 victoires protégées en carrière font de lui un candidat au Temple de la renommée et il a certainement été le lanceur de relève le plus important de l'histoire des Expos.

« Je ne sais pas comment les journalistes voteront en l'an 2000, quand mon nom viendra sur le tapis, mais ils ont élu Rollie Fingers avec 341 victoires protégées. »

De 1981 à 1986, Reardon a sauvegardé 146 victoires pour les Expos. Le directeur général Murray Cook l'a tout de même échangé aux Twins du Minnesota pendant l'hiver de 1987. Il s'agit d'une des transactions les plus insensées de l'histoire du club : Reardon et le receveur Tom Nieto contre trois joueurs dont les noms sont vite passés à l'oubli : Neil Heaton, Yorkis Perez et Al Cardwood. Al Cardwood ?

L'été suivant, les Twins remportaient la Série mondiale avec Reardon pour terminer leurs matchs et les Expos n'ont pas revu un releveur de son calibre avant John Wetteland.

« Cette transaction m'avait ébranlé ; je n'arrivais pas à y croire. J'avais protégé 41 victoires en 1985 et 36 en 1986. Tout allait très bien. Mes agents ont demandé une extension de contrat de deux ans alors qu'il restait deux années à une entente de cinq ans. C'est peut-être ce qui a déplu à Murray Cook. Je ne gagnais pas une fortune — 600 000 $ par année —, et le contrat de cinq ans valait un peu moins de quatre millions. Je ne défonçais pas le budget. Mais je n'ai pas à me plaindre, j'ai remporté la Série mondiale l'année suivante. »

Pendant cette Série mondiale de 1987, Reardon a participé à cinq matchs et réalisé le rêve de tout releveur : dans la septième et décisive partie, le gérant Tom Kelly a fait appel à Reardon pour « fermer » la neuvième manche, la série et la saison de baseball.

« Frank Viola, qui allait mériter le trophée de Joueur par excellence de la Série mondiale, avait blanchi 20 frappeurs de suite et je croyais que Kelly lui laisserait les honneurs de la neuvième manche. Mais il m'a fait signe et j'ai retiré les trois frappeurs dans l'ordre, un, deux, trois ! Je n'oublierai jamais que Kelly m'a accordé cette chance. Il s'agit du plus beau moment de ma carrière. Le deuxième, c'est la victoire protégée qui permettait aux Expos de participer à la série éliminatoire de 1981. »

Mais il n'y a pas que des moments glorieux dans la carrière de Jeff Reardon, comme dans celle de la majorité des grands athlètes. En 1992, les partisans des Braves d'Atlanta l'ont tenu responsable de l'échec de leur club aux mains des Blue Jays de Toronto dans une autre Série mondiale.

« Mon pire souvenir… C'était la deuxième partie de la série. Je ne connaissais pas le frappeur des Jays, Ed Sprague. J'ai lancé une rapide dans la zone des prises et il a cogné la balle avec beaucoup de force. Nous avons perdu le match, les Blue Jays ont annulé la série à 1-1 mais, même s'il était encore tôt dans la série, on m'a blâmé pour tout. Le gérant Bobby Cox m'a laissé sur le banc jusqu'à la fin. L'année suivante, aucune équipe ne voulait de moi comme releveur de fin de match. Ça vous montre combien de gens regardent la Série mondiale ! Pourtant, les Braves m'avaient amené à Atlanta à la date limite des transactions, je n'avais accordé que trois points en 20 manches en septembre et j'avais protégé deux victoires contre les Pirates dans la série éliminatoire de la Ligue nationale. »

L'année suivante, Reardon était à Cincinnati. Il devait préparer la table pour Rob Dibble, le spécialiste de la neuvième manche. Il devait aussi raser sa barbe. Les Reds ont toujours interdit à leurs joueurs les cheveux longs et tout poil au visage. « J'ai demandé la permission de garder ma barbe, mais le gérant, Jim Bowden, m'a répondu qu'il n'en était pas question. Mes enfants ont beaucoup ri le jour où je me suis rasé. Ils disaient qu'il y avait un étranger dans la maison… »

Toujours moustachu, Reardon a lancé pendant quelques semaines en 1994 dans l'uniforme des Yankees de New York, avant d'être congédié. L'année suivante, les Expos l'ont invité à leur camp d'entraînement. « Je pense qu'ils voulaient se montrer reconnaissants. Felipe Alou m'a demandé de lancer des balles papillon, mais je ne croyais pas pouvoir m'en tirer de cette manière. » Jeff a annoncé sa retraite avant le début de la saison.

Jeff Reardon fera toujours partie du folklore des Expos à cause de l'inoubliable fin de saison de 1981. Dans le match décisif contre les Dodgers, à quelques lancers d'une participation à la Série mondiale, c'est lui, et non pas Steve Rogers, qui devait normalement affronter Rick Monday. Mais l'as releveur des Expos souffrait d'une légère blessure à l'épaule et le gérant Jim Fanning a joué de prudence.

Reardon raconte : « Nous étions deux barbus dans l'enclos des releveurs, Steve (Rogers) et moi. J'ai cru que l'arbitre Bruce Froemming m'avait fait signe d'entrer en jeu et je me suis dirigé vers le monticule. Je me sentais bien. Mais Fanning avait demandé Rogers. La fiche de Rick Monday contre moi était de zéro en cinq cette année-là.

« Je n'en veux pas à la direction des Expos. Charles Bronfman m'a expliqué plus tard qu'on ne voulait pas risquer une blessure grave à mon épaule, qu'on ne voulait pas mettre ma carrière en péril. Il est vrai que j'avais un malaise et que j'avais accordé deux circuits de suite à Mike Scioscia et Pedro Guerrero à Los Angeles. »

On connaît la suite… Rogers, nerveux, accorde à Monday un circuit fatal qui hante encore les Expos.

Beau joueur, Reardon a l'intention de porter la casquette tricolore si jamais il est élu au Temple de la renommée. « J'ai participé à des Séries mondiales avec les Twins et les Braves, mais c'est à Montréal que j'ai eu l'occasion de lancer ma carrière de releveur de neuvième manche. »

Enfin, le séjour de Jeff Reardon à Montréal a été marqué par un incident désagréable qui n'est pas à l'honneur des amateurs de baseball locaux : son épouse a été huée par la foule du Stade olympique lors d'un défilé de mode présenté sur le terrain entre deux parties d'un programme double. L'événement visait à amasser des fonds pour une œuvre de charité, mais Reardon avait causé la défaite des Expos en neuvième manche dans le premier match et la foule a jeté sa colère sur madame.

« J'étais dans le vestiaire quand ça s'est passé et lorsqu'on m'a raconté, je rageais. Heureusement, ma femme m'a assuré qu'elle allait bien, que l'incident ne l'avait pas troublée. C'est le seul mauvais souvenir que j'ai de Montréal. »

TIM RAINES : « ON SE SENT COMME SUPERMAN… »

Chapitre 16

TIM RAINES : « ON SE SENT COMME SUPERMAN... »

Tim Raines est apparu sur la scène du baseball montréalais comme une fusée. Si une grève n'avait pas écourté la saison 1981, la recrue des Expos aurait probablement battu le tenace record de buts volés en une saison appartenant alors à Lou Brock. En 88 parties, Raines a conservé une moyenne au bâton de .304 et volé 71 fois.

Les Expos ont tout d'abord déçu leur grande star des filiales en la transformant en voltigeur. Raines se considérait avant tout comme un joueur de deuxième but et, dans les grands espaces verts, il est demeuré toute sa carrière plutôt faible en défensive, malhabile pour capter les flèches et ballons, incapable de relayer à l'avant-champ avec force.

Mais son coup de bâton demeurait redoutable.

Un autre handicap devait, et cela dès 1981, ralentir la vedette montante des Expos. Originaire d'une petite ville de la Floride rurale, Raines n'avait jamais fumé une cigarette ni bu un verre d'alcool avant de découvrir la cocaïne à Montréal.

Plusieurs années plus tard, il en parlait ouvertement.

« C'était vite devenu une habitude. Quand la saison 1982 a commencé, j'étais accroché. Et ce n'est pas une habitude dont on peut se débarrasser facilement.

« Pour un jeune homme de la campagne qui arrive en ville, il est très facile de se perdre. On veut se mêler aux gens, sentir qu'on est à sa place, qu'on est comme tout le monde, et on rencontre les mauvaises personnes. La première fois que j'ai consommé de la cocaïne, je ne savais pas ce que c'était. Mais j'ai aimé tout de suite. Je me sentais comme Superman. On fait et on dit des choses qui ne ressemblent en rien à notre personnalité. On croit qu'on peut défoncer un mur de briques sans se faire mal...

« Après un certain temps, il me fallait de la drogue pour fonctionner. Je ne dormais pas beaucoup et sans cocaïne, je me serais endormi sur le banc des joueurs. Alors j'en prenais pendant les matchs. Je croyais que je n'arriverais pas à offrir une bonne performance sans drogue. Ma moyenne au bâton a chuté de .304 en 1981 à .277 en 1982. » Raines a quand même trouvé le moyen de voler 78 buts.

Vers la fin de la saison 1982, un accident de parcours a transformé sa vie. Raines s'est endormi en plein jour et il a raté un match en soirée. Une heure avant le match, le soigneur Ron McLain a téléphoné chez lui. Raines est resté à la maison ce soir-là et la direction des Expos a fait savoir aux médias qu'il souffrait d'une grippe. Il s'agissait d'un mensonge, mais l'épisode a son bon côté. Raines n'allait plus jamais consommer de cocaïne.

« J'ai vu le médecin de l'équipe le lendemain et je lui ai dit que j'étais victime d'un empoisonnement. Quelque chose que j'avais mangé... Il a bien vu que ce n'était pas le cas. Alors je lui ai tout raconté. »

Les médias et le public n'ont rien su avant l'automne de 1982, lorsque Raines est revenu d'une cure de désintoxication en Californie. « J'ai décidé de rendre la chose publique. Je voulais que les gens sachent par quoi j'étais passé. Je me disais que le fait d'avouer m'aiderait plus que cela ne me ferait de mal. Finalement, cette aventure a bien tourné. Ça m'a ouvert les yeux et je suis devenu un meilleur homme, un meilleur mari et un meilleur père de famille. »

Raines a dépensé beaucoup d'argent en achat de cocaïne : son salaire était passé de 32 500 $ en 1981 à 200 000 $ en 1982. En 1983, libéré de ses démons, il était d'attaque. Andre Dawson l'a pris sous son aile, et le toujours jeune Raines a connu une brillante saison : moyenne au bâton de .298, 71 points comptés et 90 buts volés. Un deuxième fils lui est né et il porte le prénom d'Andre. En 1986, Raines remportait le championnat des frappeurs de la Ligue nationale avec une moyenne de .334 et prenait sa place parmi les grands noms du baseball.

Les Expos l'ont toutefois échangé en 1990, après 10 saisons à Montréal. Son rendement avait commencé à diminuer en 1988. Raines se complaisait dans l'uniforme tricolore, il croyait n'avoir plus rien à prouver à ses patrons et coéquipiers, il ne trouvait plus de motivation. La direction du club a réagi. Après l'échange, Raines a d'abord refusé de se joindre aux White Sox de Chicago. Un contrat de 10,5 millions pour trois ans l'a vite convaincu. Il a déménagé à Chicago en compagnie de deux lanceurs des mineures, Mario Brito et Jeff Carter, alors que les Expos recevaient deux vétérans, le releveur Barry Jones et le voltigeur Ivan Calderon. La transaction a causé une querelle entre le d.g. des Expos, Dave Dombrowski, et celui des White Sox, Ron Schueler. Quelques jours avant l'échange, ce dernier a offert à Jones un contrat qui augmentait son salaire de 232 500 $ à 825 000 $... sans en aviser Dombrowski.

Curieusement, pendant que Raines jouait à Montréal, un représentant du commissaire du baseball exigeait qu'il se soumette à des tests d'urine, jusqu'à trois fois par semaine, pour prouver qu'il était toujours sobre. Une fois à Chicago, Raines n'a plus jamais été testé. Aujourd'hui, la seule fantaisie que Raines se permet est le cigare. « Je ne le respire pas, je le mâche... »

Chez les White Sox, l'ancienne star des Expos a connu un court regain de vie. Comme premier frappeur de la rotation, il a bien joué son rôle en se plaçant sur les buts et en comptant 102 points en 1990 ainsi qu'en 1991. Quatre ans plus tard, une dispute avec le supercogneur des Sox, Frank Thomas, forçait Raines à demander une autre transaction. Thomas n'appréciait pas que son coéquipier vole le deuxième but parce que, sans la possibilité du double-jeu, les lanceurs adverses lui accordaient des buts sur balles intentionnels.

Pour Raines, le prochain arrêt serait à New York, avec les Yankees de George Steinbrenner, un proche de son agent, Tom Reich. Mais le garçon de la campagne détestait New York. La foule et le mouvement continuel l'étourdissaient. Quand les Expos visitaient les Mets, Raines restait dans sa chambre pendant tout le séjour et s'y faisait servir tous ses repas.

Il a d'abord dit non merci à Steinbrenner et puis, encore une fois, l'argent a été le plus fort : un contrat de 3,5 millions pour deux ans, avec une année d'option, apaisait soudainement toutes ses angoisses urbaines. À 35 ans, avec des moyens diminués, Raines pouvait se compter chanceux. « J'ai vécu au centre-ville de Chicago, mais je n'aurais jamais osé m'installer en ville à New York. » Tout compte fait, la décision était la bonne, puisque les Yankees ont remporté la Série mondiale, une première pour Raines.

Une fois dans la métropole américaine, Raines est demeuré un athlète poli et accessible, une attitude rafraîchissante si on la compare à celle des vedettes les plus désagréables du baseball, les Bobby Bonilla, Vince Coleman, Eddy Murray, qui ont signé avec les Mets à titre de joueurs autonomes pour une seule et unique raison : l'argent ! Une fois sur place, ils se sont plaints de l'ampleur de la présence médiatique. Greg Maddux a refusé une offre de 34 millions pour cinq ans des Yankees, préférant demeurer à Atlanta pour un salaire moindre (28 millions).

Bonilla était un parfait gentilhomme à ses débuts avec les Pirates de Pittsburgh. La gloire lui est montée à la tête. En 1990, Barry Bonds, à l'époque coéquipier de Bonilla, avait connu une excellente saison contre les Expos et un groupe de journalistes l'avait timidement approché après un match. Nous savions que Bonds détestait les journalistes. Après un long silence, Bonilla, qui se tenait tout près, s'est mis à crier : « Posez-lui une question ! » Richard Milo, reporter à la Presse canadienne, a finalement demandé des nouvelles de Sun, l'épouse de Bonds et ex-serveuse dans un bar à Montréal. Bonds a évidemment refusé de répondre. Le couple a divorcé en 1995.

Tim Raines, lui, n'a jamais agi de cette manière au cours de sa carrière.

TIM WALLACH :
LE PREMIER CAPITAINE

Chapitre 17

TIM WALLACH :
LE PREMIER CAPITAINE

On se souviendra de Tim Wallach comme d'un homme qui évitait les caméras, qui parlait surtout par ses actes et disait « nous » plutôt que « moi ». C'est le souvenir qu'il veut laisser.

Premier choix des Expos au repêchage de 1979, Wallach est arrivé à Montréal après avoir remporté presque tous les honneurs au niveau amateur : joueur collégial par excellence aux États-Unis, meneur de l'équipe championne (Cal-State Fullerton) des Petites Séries mondiales, proclamé meilleur joueur amateur au pays, membre de la première équipe d'étoiles *All American*...

Ce rêve américain allait toutefois jouer pendant 12 ans au Canada.

« Je me suis toujours comporté comme on me l'avait appris au collège. Il est plus important de réaliser de manière constante les petites choses qui font gagner que d'être le héros d'un match. » Voilà l'homme en quelques mots...

« À ma première présence au bâton chez les professionnels, au niveau AA, j'ai frappé un circuit. L'année suivante, au niveau AAA, j'ai obtenu un autre circuit à ma première présence. Chez les Expos, l'année suivante, j'ai d'abord eu droit à un but sur balles avant de suivre avec un circuit... »

Les Expos ont accordé un premier test à Tim Wallach dès la fin de la saison 1980. Au camp d'entraînement de 1981, un poste permanent était à sa portée. Mais celui qui allait devenir le meilleur joueur de troisième but de l'histoire du club était à ce moment joueur de premier but et voltigeur. Comme recrue en 1981, évoluant surtout au champ droit, Wallach a offert une modeste performance : moyenne au bâton de .236, quatre circuits et 13 points produits en 212 présences au bâton. Après avoir brûlé les ligues mineures, l'entrée dans les majeures n'a pas été aussi étincelante que prévu.

Le 30 mars 1982, les Expos ont échangé Larry Parrish, leur vétéran joueur de troisième but, aux Rangers du Texas en retour du voltigeur Al Oliver. La carrière de Tim Wallach allait prendre son envol.

« Jusque-là, je luttais contre Terry Francona pour un poste de voltigeur et je n'avais pas le dessus. Quand la direction m'a placé au troisième but, j'étais très nerveux. Il m'a fallu travailler fort, surtout que je ne frappais pas bien à ce moment-là. Les 15-20 premiers matchs ont été pénibles, mais en mai je me sentais à l'aise. »

Wallach a explosé au cours de ce mois de mai 1982 : une moyenne de .367, six circuits et 23 points produits lui ont valu le titre de joueur du mois dans la Ligue nationale.

Côté défense, il allait recevoir, au camp d'entraînement de 1983, une aide inespérée. « Bill Mazeroski, une véritable légende, était présent comme entraîneur invité. C'est lui qui m'a appris les bases du jeu au troisième but : comment tenir mon gant en attaquant un roulant, où me positionner contre les divers frappeurs et, surtout, comment me placer. J'avais l'habitude d'écarter les jambes et de me pencher au moment où la balle était lancée et de me redresser quand elle était frappée en ma direction. C'était tout le contraire de la bonne façon d'agir.

« J'avais décidé qu'être bon joueur de troisième but ne suffirait pas. Je voulais devenir un grand joueur défensif. J'ai beaucoup travaillé, je n'ai jamais eu peur d'y mettre des heures supplémentaires. »

Wallach a été l'un des principaux artisans de la saison surprise de 1987 : moyenne de .298, 26 circuits et pas moins de 123 points produits, un sommet en carrière. « On aurait dit que chaque fois que je me présentais au bâton, il y avait des coureurs en position de marquer. Jouer au baseball ne pouvait être plus agréable. Mais je crois que (le gérant) Buck Rodgers a été le grand responsable de nos succès par sa façon de diriger les lanceurs partants et la relève. »

Le bonheur de Tim Wallach s'est poursuivi jusqu'en 1989-1990, discrètement, sans incident. Puis, signe des temps, une dispute à propos d'un contrat a tout gâché. Wallach n'appréciait pas que le joueur de premier but Andres Galarraga gagne plus d'argent que lui. Il n'appréciait pas non plus que les Expos accordent des bonis pour éponger une partie de leurs frais d'impôts à Galarraga et quelques autres. « Vous me dédommagez ou vous m'échangez », a-t-il alors lancé.

La direction du club a réagi en le nommant capitaine, le premier de l'histoire des Expos, et en lui accordant une extension de contrat de deux ans plus une année d'option, ce qui assurait l'avenir de Wallach à Montréal jusqu'en 1995. Mais le d.g. Dave Dombrowski a quitté les Expos pour se joindre aux Marlins de la Floride à la fin de la saison 1991, et son adjoint Dan Duquette, promu à sa place, a immédiatement amorcé avec son capitaine une relation pour le moins orageuse.

Duquette avait été volubile et coloré comme adjoint de Dombrowski, mais une fois en poste comme grand patron des « opérations baseball », son attitude a changé complètement. Il est devenu froid et distant avec les joueurs comme avec les représentants des médias. Plusieurs membres des Expos, Wallach en particulier, se sont disputés avec lui.

Une fois devenu d.g. des Red Sox de Boston, Duquette a continué à se créer des ennemis. En 1996, il a congédié le gérant Kevin Kennedy et son principal assistant, Tim Johnson, pour avoir été « trop près des joueurs ». Roger Clemens et Mike Greenwell ont quitté les Red Sox peu après, et Jose Canseco a été échangé.

À Montréal, au printemps de 1992, Duquette a informé Wallach qu'il serait employé au premier but. Andres Galarraga venait de passer aux Cards de Saint Louis en échange du lanceur Ken Hill. Le capitaine des Expos était furieux.

« Le gérant Tom Runnells a fait une première approche lors de la Caravane des Expos, la promotion que le club organise chaque hiver. Je lui ai fait savoir que je préférais demeurer au troisième but. Runnells avait l'intention d'utiliser Bret Barberie à ma place. Je lui ai dit que cette décision n'améliorerait pas notre équipe. »

« Je jouais au troisième but depuis 10 ans, et le poste de premier but ne m'était plus familier. Je n'ai plus entendu parler de ce projet avant la troisième semaine du camp d'entraînement, en février, lorsque Duquette et Runnells m'ont convoqué à leurs bureaux. Il m'ont alors dit carrément que la décision était prise. Je crois que c'était une idée de Duquette. Je leur ai répété que je n'étais pas d'accord, qu'ils n'aidaient pas les Expos en agissant ainsi. Je me suis fâché et j'ai demandé une transaction. Ils ont prétendu que ma performance en défense avait diminué, ce qui était absolument faux. J'ai tout de même joué au premier but le lendemain, mais je n'étais pas content. » Le 22 mai, Tom Runnells céda sa place à Felipe Alou après un début de saison désastreux, et la première décision du nouveau gérant fut de ramener Wallach au troisième but. Bret Barberie avait été affreux. « J'ai repris ma place au troisième grâce à Felipe mais j'étais toujours en colère contre certaines personnes de l'organisation. » Duquette n'avait pas dit son dernier mot : lors du repêchage d'expansion au profit des Marlins de la Floride et des Rockies du Colorado, le nom de Wallach n'apparaissait pas sur la liste des 15 joueurs protégés par les Expos. Il s'agissait d'une déclaration de guerre. Cette fois, Duquette affirmait qu'il voulait des joueurs plus jeunes et que Wallach, à 35 ans, avait connu ses meilleures années. À titre de joueur de catégorie « 10-5 » — 10 années dans les majeures et cinq avec la même équipe — Wallach avait un droit de veto. Les Expos lui ont alors remis une somme de 140 000 $ pour compenser l'achat d'une maison en banlieue de Montréal, effectué par Wallach quelques années plus tôt ! Mais ni les Marlins ni les Rockies n'ont réclamé le capitaine des Expos, et la confrontation avec Duquette allait se poursuivre. Un mois plus tard, Tim Wallach était échangé aux Dodgers de Los Angeles contre un inconnu des ligues mineures. Après 12 années à Montréal, deux de plus que Gary Carter, Andre Dawson et Tim Raines, Wallach retournait chez lui en Californie. « J'avais le droit de refuser cette transaction. Je l'ai acceptée uniquement parce qu'il s'agissait des

Dodgers. Je ne serais pas allé ailleurs. Duquette m'avait d'abord informé que je n'aurais plus de poste régulier chez les Expos en 1993... » Wallach a évolué pendant trois ans avec les Dodgers et un an avec les Angels de la Californie avant d'annoncer sa retraite en 1996. Mais ses 12 années à Montréal ont été impeccables. Il a toujours joué au maximum, il a excellé en défense comme en attaque, et son nom n'a jamais été inscrit sur la liste des blessés. « J'ai été blessé sérieusement pour la première fois en 1993 quand Ken Hill m'a atteint aux côtes avec une rapide. Il fallait que ce soit contre les Expos ! Je crois que j'ai connu une belle carrière. Je me suis rendu jusqu'aux ligues majeures à cause de mon coup de bâton, et personne ne m'accordait de chance de mériter un Gant d'or pour mon jeu défensif. J'en ai pourtant trois dans ma collection... »

CHARLES BRONFMAN :
L'HUMBLE PROPRIÉTAIRE

Chapitre 18

CHARLES BRONFMAN :
L'HUMBLE PROPRIÉTAIRE

Au cours du tout premier camp d'entraînement des Expos, en 1969, un certain Joe Mook a cogné ce qui devait être le premier circuit de l'histoire de la concession. Charles Bronfman, propriétaire majoritaire du club, a approché le gérant Gene Mauch quelques minutes plus tard. « Ce Mook ne jouera jamais pour les Expos. Pas à cause d'un manque de talent mais à cause du nom. Un duo Mauch-Mook n'irait pas du tout… », a osé Bronfman pour détendre l'atmosphère. Il se souvient aussi en souriant des inquiétudes de Mauch à ses débuts à Montréal.

« Il croyait que je me mêlerais de baseball. Un jour, autour d'un verre, je lui ai demandé un uniforme. Il pensait sûrement que je voulais le numéro 4, le sien. Je lui ai dit que j'aimerais avoir le 83. Il m'a regardé d'un drôle d'air, se disant probablement qu'il s'agissait plutôt d'un numéro de joueur de football. Pour le rassurer, je lui ai avoué que je désirais porter le chandail de temps à autre et prendre un whisky avec lui… un de nos whiskies s'appelant le *83*. J'ai senti qu'il était soulagé. » Tel est le type de relation que le premier grand patron des Expos devait entretenir avec ses hommes de baseball. Une blague de temps en temps et, pour le reste, ses directeurs généraux et gérants avaient toute liberté d'action.

Charles Bronfman est un homme timide, discret et modeste. Il fuit la publicité. Pour des hommes de baseball qui n'ont aucune estime pour les George Steinbrenner, Bronfman représente le patron idéal.

Plus à l'aise dans l'obscurité de son bureau chez Seagram, Bronfman n'avait pas prévu devenir partenaire majoritaire dans l'aventure des Expos. En fait, il n'avait pas été impliqué du tout dans la venue d'une concession du baseball majeur à Montréal. Ce sont le maire Jean Drapeau et le conseiller municipal Gerry Snyder qui ont réussi cet exploit si inattendu. Bronfman avait investi un million, tout comme neuf autres actionnaires, pour acheter la nouvelle concession de 10 millions. Il s'était également inscrit à un comité d'aide financière.

« J'avais accepté d'investir un million à condition que les Expos obtiennent un jour un stade couvert. » Le stade couvert n'est jamais venu, comme on sait. Jean Drapeau a choisi un toit rétractable, installé au milieu des années 1980, qui s'est vite transformé en cauchemar. Dans les milieux américains du baseball, les aventures du Stade olympique de Montréal demeurent une risée. Il reste que Charles Bronfman a sauvé les Expos en achetant 70 % des actions du club lorsque l'homme d'affaires Jean-Louis Lévesque s'est retiré du projet. Deux amis de Bronfman, Lorne Webster et Hugh Hallward, ont convaincu le patron de Seagram de prendre la tête de l'organisation et sont devenus actionnaires minoritaires. Le jour du premier match des Expos, en avril 1969 au stade Shea de New York, Bronfman a pleuré en entendant l'hymne national canadien chanté pour la première fois avant un match du baseball majeur.

« Il faut comprendre que je n'étais jusque-là qu'un héritier. J'avais hérité de la fortune familiale et d'un poste de dirigeant chez Seagram. Mais les Expos, c'était mon affaire. J'étais très fier et très heureux. Il y avait 45 000 Américains sur place et certains ont chanté le *Ô Canada*. Les larmes me sont venues… Je me souviens très bien de Jean Drapeau ce jour-là. Il n'était pas ému du tout. Il se plaignait des avions qui passaient sans cesse au-dessus du stade — le stade Shea est situé à côté d'un aéroport. Le maire Drapeau ne comprenait pas comment on pouvait jouer au baseball avec ces avions qui ne cessaient de décoller. »

Comme les partisans des Expos, Bronfman a dû survivre à quelques crises, dont une séquence de 20 défaites consécutives au cours de la saison initiale de 1969. La série noire a pris fin au Dodger Stadium de Los Angeles, avec le vétéran Elroy Face au monticule pour les Montréalais. Encore là, Bronfman a eu chaud. « Nous avions une avance de 4-1. Les Dodgers ont remonté le score à 4-3 et ils ont placé deux coureurs sur les buts en neuvième. Rusty Staub a volé un coup sûr à Willie Crawford avec un attrapé spectaculaire pour mettre fin au match. Tout était pénible à ce moment-là... »

Gene Mauch a dirigé les Expos pendant leurs sept premières saisons. À la fin de la saison 1975, Bronfman et John McHale, alors président du club, croyaient pouvoir embaucher Tommy LaSorda, qui montrait de belles qualités de gérant dans les filiales des Dodgers et qui avait été une vedette des Royaux de Montréal au cours des années 1950. Les patrons des Expos s'emballaient à la pensée de ramener LaSorda, et Mauch ne les intéressait plus. « Mauch avait perdu le contrôle de l'équipe », a déclaré Bronfman plusieurs années plus tard. « Il aimait travailler avec des vétérans et nous avions une jeune équipe. De notre côté, nous étions convaincus de pouvoir attirer LaSorda chez nous. Nous étions d'ailleurs très près d'une entente. J'étais en Israël quand McHale m'a appris la mauvaise nouvelle. LaSorda avait choisi les Dodgers, un club auquel il était très attaché. » Tommy LaSorda devait remplacer Walter Alston, qui abandonnait son poste de gérant des Dodgers après plus de 20 ans de services. « J'ai rencontré Tommy plus tard et je lui ai dit qu'il s'était servi de nous pour obtenir des garanties à Los Angeles... » Le remplaçant de Gene Mauch à Montréal, Karl Kuehl, n'a laissé qu'un affreux souvenir. Brillant gérant dans les filiales de l'équipe, Kuehl a été congédié avant la fin de la saison 1976 ; les Expos ont terminé le calendrier avec une fiche de 55 victoires et 107 défaites. Le bilan de Bronfman : « Karl n'est jamais parvenu à mériter le respect de ses joueurs. » Dick Williams devait suivre dans le siège éjectable de gérant des Expos.

La saison 1977 a été à peine plus joyeuse. À ce moment, Charles Bronfman a songé à tout abandonner. « J'avais l'impression que nous étions incompétents. J'étais troublé. » Il a fallu une longue conversation avec Lorne Webster, un des pionniers du club, pour que Bronfman demeure en poste. Les Expos ont ensuite connu d'excellentes saisons en 1979 et 1980, puis en 1981 ils sont venus à un match près de participer à la Série mondiale. Le grand patron avait retrouvé sa passion pour le baseball et devait la garder jusqu'en 1989, lorsque son club a flanché dans les derniers jours du calendrier, après avoir occupé le premier rang du classement pendant 41 jours. Bronfman avait demandé au nouveau d.g., Dave Dombrowski, de tout mettre en œuvre pour offrir un championnat aux partisans des Expos. Ce dernier a tenté un grand coup en échangeant Randy Johnson, Brian Holman et Gene Harris aux Mariners de Seattle contre l'as lanceur Mark Langston. Les Expos possédaient alors tout ce qu'il fallait pour entreprendre le dernier sprint... sauf que Langston a été le premier à plier sous la pression. L'affaire Langston demeure encore aujourd'hui l'une des plus grandes déceptions de l'histoire du club. Alors que le fragile gaucher quittait les Expos l'année suivante, Randy Johnson devenait l'une des terreurs du baseball majeur. Charles Bronfman n'en pouvait plus, il a commencé alors le processus de vente. « Je me suis fixé trois scénarios : vendre le club à des personnes qui avaient l'intention de garder les Expos à Montréal ; vendre à des personnes qui promettaient de garder le club à Montréal pendant cinq ans ; vendre au plus offrant. » Les Expos étaient sur le point de passer au plus offrant quand Claude Brochu, aidé de Jacques Ménard, de la firme Burns Fry, a réussi, malgré de nombreuses difficultés, à rassembler assez d'investisseurs pour sauver la concession montréalaise. Six ans après avoir vendu les Expos, Charles Bronfman ne regrettait pas sa décision. « Le baseball me manque un peu, mais après 22 ans à la tête du club, j'étais vidé. Le monde du sport est épuisant. »

La flambée des salaires, qui a transformé le baseball plus que tout autre sport professionnel, a certainement influencé un homme d'affaires aussi traditionnel. Avant de partir, Bronfman a livré le fond de sa pensée. « Les joueurs de baseball devraient être payés autour d'un million par saison avec des bonis rattachés à leurs performances. C'est ce que j'aimerais voir mais je sais très bien que ça ne se produira jamais. » Les Expos avaient d'ailleurs offert un million à Andre Dawson, soit une réduction de salaire de 200 000 $, quand ce dernier a claqué la porte. Dawson devait finalement accepter un contrat de 500 000 $ avec les Cubs de Chicago. L'Association des joueurs n'a pas tardé à citer son cas comme un exemple flagrant de collusion entre les propriétaires de club. La réponse de Bronfman : « Je ne dirais pas qu'il y a eu collusion. Je parlerais plutôt de coopération. » Il reste qu'Andre Dawson a été l'un des joueurs préférés de Charles Bronfman, avec Rusty Staub et Woody Fryman. Ses gérants préférés ? Gene Mauch et Buck Rodgers, à égalité. Lorsque Dave Dombrowski a congédié Rodgers en 1991, Bronfman a été le premier à le contacter. « Buck, il n'y a qu'un mot pour décrire ce qui vient de se passer. — Quoi donc ? — Merde. »

JIM FANNING : LE BON SOLDAT

Chapitre 19

JIM FANNING : LE BON SOLDAT

Jim Fanning a occupé une longue série de postes chez les Expos : directeur général, gérant, directeur du dépistage, vice-président responsable du développement des joueurs, analyste des matchs à la radio, dépisteur spécial… Il faisait partie de l'organisation en 1969 quand le club a vu le jour et lorsqu'il a quitté en 1993, il devenait le premier membre des Expos à rédiger lui-même le communiqué de presse annonçant son départ.

« Les gens des relations publiques ont écrit quatre ou cinq communiqués que j'ai refusés. La direction du club voulait faire croire au public que je démissionnais alors qu'on me montrait la porte. »

En décembre 1992, une semaine après avoir chassé Tim Wallach, Dan Duquette a décidé de se débarrasser de Jim Fanning. Dans une conversation téléphonique, Duquette faisait savoir que les tâches de Fanning, alors âgé de 65 ans, seraient grandement diminuées et que son salaire, estimé à 150 000 $, serait également réduit de beaucoup.

« Je crois que je n'étais pas l'employé préféré de Duquette. C'était une question de génération. Je représentais la vieille garde, celle de John McHale et Charles Bronfman, et j'étais de trop dans le décor. »

Après trois mois de négociations teintées de mauvaise foi, où la direction du club cherchait toujours à faire croire à une démission, les deux parties se sont entendues sur une somme compensatoire évaluée à environ une année de salaire. Les Rockies du Colorado ont vite embauché celui que l'on surnomme « Gentleman Jim ». Il travaillait de Montréal comme dépisteur spécial, à produire des rapports sur les équipes rivales. Son vieil ami et ancien dépisteur et instructeur des Expos, Bob Gerhard, qui est directeur général à Denver, ne l'avait pas oublié. Mais le divorce avec les Expos allait s'envenimer.

Fanning n'avait plus accès à la salle de presse du Stade olympique ni au terrain, contrairement à tous les autres dépisteurs. « J'avais la permission de me rendre jusqu'au banc des joueurs avant le match, mais il m'était défendu de mettre les pieds sur le terrain. Un agent de sécurité du stade est venu un jour me barrer le chemin en s'excusant. Le pauvre homme, que je connaissais depuis de nombreuses années, avait un peu honte.

« J'ai téléphoné à Dan [Duquette] et je lui ai dit que s'il ne mettait pas fin à ce harcèlement, je raconterais aux médias des histoires juteuses à son sujet. »

Duquette a cédé, mais pas complètement. Lors d'une autre visite au Stade olympique, Fanning, qui habite Saint-Lazare, près de Montréal, s'est rendu au guichet pour prendre des billets réservés pour lui par Larry Walker. Il avait invité au match son épouse et un couple d'amis. Le préposé lui montra alors une liste où son nom avait été rayé.

« Walker était furieux et il est monté au bureau de Bill Stoneman pour protester. Après toutes ces années passées au service des Expos, je ne m'attendais pas à être traité comme un criminel. »

Les partisans des Expos se souviendront surtout de Jim Fanning au poste de gérant. En 1981, sa décision d'envoyer Steve Rogers en relève dans le cinquième match de la série de championnat contre les Dodgers soulève encore de vives discussions. Rogers, on se souvient, devait accorder un circuit à Rick Monday et causer l'élimination de son équipe au seuil de la Série mondiale.

« Je n'ai pas hésité. Il fallait utiliser notre meilleur lanceur et Rogers avait connu une fin de saison extraordinaire. Jeff Reardon était disponible mais il était légèrement blessé. Personne ne le savait à ce moment-là, c'est pourquoi ma décision a tellement surpris le public.

« Cette défaite est la plus grosse déception de toute ma carrière. Il faut se souvenir qu'à cette époque tout le Canada était derrière nous. Nous étions seuls contre toutes les équipes américaines. J'étais très secoué en retournant chez moi cette nuit-là. »

On se souviendra aussi de Fanning à cause des départs fracassants de Rodney Scott et de Bill Lee. Au lendemain du congédiement de Scott, Lee a amorcé une grève personnelle et s'est réfugié dans une brasserie près du Stade olympique. La direction des Expos tentait de camoufler le fait que Scott avait des problèmes reliés à la consommation de drogue et Lee protestait contre la façon d'agir de John McHale en particulier.

« Lee a abandonné le club, et nous avons manqué de lanceurs ce soir-là. L'instructeur des lanceurs me téléphonait de l'enclos pour me demander où était passé Bill Lee. Je n'en savais rien. Et puis tous les entraîneurs se sont plaints en même temps. Je n'avais pas d'autre choix que de congédier Lee à son tour. Il avait en plus déchiré son uniforme des Expos avant de partir... »

Fanning devait confirmer plus tard que Bill Lee l'avait invité à se battre dans la rue Pierre-de-Coubertin ! « Lee parle encore de cette affaire. Ça semble toujours l'obséder, mais il m'accorde trop d'importance. La décision a été prise en comité avec le directeur général John McHale et les instructeurs. Lee nous accuse d'avoir fait inscrire son nom sur une liste noire. C'est faux. Aucune équipe ne nous a contacté à son sujet. Au début des années 1990, je l'ai croisé lors d'un match des anciens au Stade olympique. Je l'ai approché et lui ai proposé de faire la paix. Nous nous sommes serrés la main. La rencontre a été cordiale. »

En 1980 et 1981, quelques joueurs des Expos ont éprouvé de graves problèmes reliés à la drogue. À titre de vice-président, Fanning a dû y voir.

« Je me souviens d'un jour où Warren Cromartie et Andre Dawson ont recommandé à Tim Raines de ne pas jouer à cause d'une blessure à un pouce. Ils contredisaient le médecin de l'équipe. J'ai convoqué Cromartie et Dawson et je leur ai demandé pourquoi ils s'inquiétaient tant de Raines comme joueur de base-ball et si peu comme être humain. Ils m'ont compris, ils ont baissé les yeux et leur attitude a changé par la suite. Un peu plus tard, quand Raines est sorti de sa cure de désintoxication, Cromartie et Dawson m'ont remercié.

« Le cas d'Ellis Valentine était encore pire. Il avait tellement de talent, il était né pour jouer au baseball. S'il n'avait pas eu ce problème, je ne sais pas où ses exploits sur le terrain se seraient arrêtés.

« Ellis était par ailleurs un bon garçon. Son histoire est triste. Un jour, à Saint Louis, il a encaissé un lancer sur la joue. Nous savions qu'il se passait quelque chose d'anormal parce qu'il n'avait même pas tenté d'éviter la balle. Il faut savoir que cette nuit-là, John McHale est demeuré à ses côtés à l'hôpital. McHale l'accompagnait aussi à ses séances de thérapie. »

La relation entre Jim Fanning et John McHale date du début des années 1960, alors que tous deux faisaient partie de l'organisation des Braves de Milwaukee. McHale avait embauché Fanning à titre d'adjoint au directeur général.

« En 1964, les Braves préparaient leur déménagement à Atlanta, qui devait avoir lieu en 1966. La saison 1965 a été pénible. Nous avons attiré environ 550 000 spectateurs. John s'est installé à Atlanta pour préparer notre arrivée et j'ai agi comme directeur général. » Fanning était toujours adjoint au d.g. quand les Braves sont arrivés à Atlanta et il est devenu directeur du dépistage en 1967. McHale avait accepté un poste d'adjoint au commissaire et un certain Paul Richards le remplaçait à la tête des Braves. Richards a alors ramené Fanning comme instructeur en lui promettant le poste de gérant.

« Pendant les rencontres d'hiver de 1967, tenues à Mexico, un comité de six représentants des ligues majeures a demandé à Richards la permission de me proposer un nouveau poste. Il s'agissait de mettre sur pied la centrale de dépistage des ligues majeures, une innovation. J'ai accepté sur le champ, sans poser de questions sur les conditions de travail ni sur le salaire. »

Établi à New York, Fanning côtoyait McHale, qui ne semblait pas heureux au bureau du commissaire. « Un jour, au stade des Yankees, John s'est confié. Il me proposait de quitter mon poste et de revenir travailler pour une équipe. "Nous n'avons plus de challenge." Il ne m'en a pas dit plus mais, quand les Expos l'ont embauché en 1968, il m'a offert de l'accompagner. Encore là, j'ai accepté tout de suite. John est le meilleur homme de baseball que j'ai connu. »

Fanning devint le premier directeur général des Expos. Mais il n'aimait pas ce métier, pour une raison évidente : « Je ne pouvais pas supporter les agents des joueurs. Ils ont le don d'empoisonner l'ambiance à l'intérieur d'un club. »

Comme conseiller de John McHale, il a participé à toutes les transactions et il est directement responsable de la venue à Montréal des lanceurs Mike Torrez et Mike Marshall, l'un des personnages les plus colorés à avoir porté l'uniforme des Expos. Marshall refusait de signer des autographes et conseillait aux jeunes d'admirer des savants, des philosophes ou des écrivains plutôt que des joueurs de baseball...

« Quand j'ai su que les Astros voulaient échanger Marshall, j'ai demandé à leur d.g. John Mullen quel joueur il désirait en retour. Il m'a répondu : "N'importe qui. Je ne veux plus voir ce Marshall de ma vie." Je lui ai donc envoyé Don Bosch, un voltigeur. Marshall nous a rendu de grands services. »

Fanning avait aussi à négocier avec Charles O. Finley, le multimillionnaire et bizarre propriétaire des A's d'Oakland. Ce dernier téléphonait au domicile de Fanning à cinq heures du matin, heure de l'Est.

« Finley travaillait jour et nuit. Il donnait des coups de fil à deux heures du matin, heure de Californie, pour être certain de me trouver tout de suite. Il voulait ainsi éviter d'avoir à téléphoner une deuxième fois ou à retourner des appels. Il avait la réputation d'être un peu radin...

« Nous avons complété une transaction intéressante en août 1973. Finley me disait qu'il voulait se débarrasser du frappeur d'urgence Jose Morales avant le 1ᵉʳ septembre, parce qu'il ne voulait pas de lui dans son équipe pendant les séries éliminatoires. Je lu ai demandé une journée de réflexion, le temps d'envoyer un de mes dépisteurs observer Morales. J'ai délégué Bobby Mattick, qui m'a téléphoné le lendemain en me disant que Morales n'avait participé qu'à l'exercice d'avant-match ! J'ai téléphoné à Finley pour lui demander ce qu'il voulait en échange. Il demandait 15 000 $, et j'ai tout de suite accepté. Morales nous a rendu de bons services par la suite. »

Lorsqu'on demande à Jim Fanning quels sont ses plus beaux souvenirs des Expos, il hésite.

« Parfois, je pense que le plus beau moment a été le premier match des Expos au stade Shea de New York. Nous avions bâti cette équipe en si peu de temps, l'équipe ayant vu le jour en août 1968, soit six mois avant le camp d'entraînement ! Le repêchage d'expansion, par exemple, avait été une expérience stimulante, mais nous nous étions tous vidés à la tâche.

« D'autres fois, je me dis que les Expos ont vraiment pris leur place dans le baseball majeur quand nous avons participé aux séries éliminatoires en 1981. Nous avions mérité cette place et personne ne pouvait nous l'enlever. Nous avons ensuite gagné la première série contre les Phillies. Les Expos étaient vraiment arrivés. »

LE DÉSASTRE TOM RUNNELLS

Chapitre 20

LE DÉSASTRE TOM RUNNELLS

Le séjour de Tom Runnels à la barre des Expos, entre juin 1991 et mai 1992, a été un véritable désastre. Seul Karl Kuehl, le gérant des Expos en 1976, a été aussi mauvais que Runnells. Sa courte carrière de gérant rappelle aussi celle de Larry Bowa, qui avait terrorisé les joueurs des Padres de San Diego en 1987 et 1988. Ces deux hommes ont prouvé une chose : le temps des dictateurs est terminé dans le monde du baseball.

Runnels remplaçait Buck Rodgers, un homme très populaire dans le club et dans le Tout-Montréal. Quand Dave Dombrowski a congédié Rodgers, il le lui a annoncé d'un coup de téléphone, à 6 h 30 le matin. Ce geste brutal résume bien la relation entre les deux hommes. « Je crois que Dombrowski n'était pas un fan de Rodgers », a d'ailleurs commenté le président du club, Claude Brochu. « Il voulait mettre son homme en place et je n'avais pas d'autre choix que de laisser mon directeur général agir à sa guise. Le pauvre Runnells avait déjà quelques prises contre lui quand il est apparu chez les Expos. D'abord, il fallait remplacer Buck Rodgers et c'était presque impossible. Tout le monde aimait Rodgers, les partisans autant que les joueurs. Et Rodgers avait beaucoup d'influence dans les médias. Les journalistes surveillaient chacun des gestes de Runnells en espérant une erreur. »

Buck Rodgers s'attendait à recevoir son congé depuis que Charles Bronfman avait vendu ses parts dans le club. L'ancien propriétaire des Expos était un ami et un grand admirateur du gérant. En 1989, il avait forcé Dombrowski à ajouter une année au contrat de Rodgers, le liant à Montréal jusqu'en 1991.

Quelques mois avant de signer la nouvelle entente, Dowbrowski a convoqué Rodgers à son condo du centre-ville pour lui offrir quelques leçons sur le métier de gérant. Les Expos avaient été éliminés de la course au championnat quelques jours plus tôt, le 23 septembre, en perdant 13-6 contre les Mets. Le lendemain, le d.g. a informé son gérant « qu'il y aurait peut-être des changements à la direction de l'équipe avant la fin de la saison ».

Les deux hommes n'ont rien révélé de cette rencontre de trois heures, mais les journalistes connaissaient le problème, du moins en partie : Dombrowski souhaitait que Rodgers passe plus de temps sur le terrain et moins de temps dans son bureau à divertir les gens des médias avec des anecdotes amusantes. Le gérant des Expos était devenu très à l'aise dans son poste et il laissait ses adjoints diriger les exercices préparatifs d'avant-match.

L'ambiance chez les Expos à ce moment-là était celle d'un country-club. Pendant l'interprétation des hymnes nationaux, par exemple, plusieurs joueurs traînaient encore dans le vestiaire plutôt que de se tenir droits devant l'enclos, la casquette posée sur le cœur. Pas du tout le genre de Rodgers…

Bref, Dombrowski voulait que Rodgers travaille plus fort pour son salaire de 450 000 $ et il n'appréciait pas cet employé qu'il n'avait pas embauché. Rodgers était l'homme de Murray Cook.

« Dombrowski m'a fait comprendre que si je n'arrivais pas à gagner en 1990, je ne resterais pas longtemps avec les Expos », a avoué Rodgers après la rencontre. Quelques années plus tard, il raconta la vraie version : Dombrowski lui demandait de changer carrément de style et d'image.

« Je lui ai conseillé de me congédier tout de suite. Tout de suite ! Il voulait que je me transforme en une sorte de Tommy LaSorda, toujours à prendre mes joueurs dans mes bras et à les embrasser. Ce n'est pas moi. Je suis Buck Rodgers et je ne fais pas semblant. Les jeunes directeurs généraux comme Dombrowski ne connaissent rien au métier de gérant. »

À la fin de la saison 1990, il n'y a pas eu d'extension de contrat pour Rodgers et il a commencé le calendrier 1991 avec une pression supplémentaire. En juin, Charles Bronfman cédait sa place de président à Claude Brochu.

« Dombrowski rêvait de me congédier depuis un an, et Bronfman l'en empêchait. Quand le club a changé de propriétaire, je savais que je n'en avais plus pour longtemps. La nouvelle a été rendue publique le 14 juin, mais je savais que la vente avait été complétée le 2 juin, parce que Dombrowski m'a téléphoné ce matin-là, à 6 h 30, pour m'annoncer que je n'étais plus le gérant des Expos. Je suis allé me recoucher… »

Les médias ont blâmé le d.g. des Expos pour cette décision et surtout pour son manque de respect envers Rodgers. Les journalistes de Montréal n'ont jamais aimé Dombrowski. Il parlait beaucoup, mais sa franchise était toujours mise en doute. Nous avons d'ailleurs rapporté quelques-uns de ses mensonges.

Les joueurs des Expos, quant à eux, n'avaient pas plus confiance en lui. Dombrowski avait pris l'habitude de descendre dans leur vestiaire, un lieu sacré dans l'univers du baseball, pour se doucher au milieu de ses joueurs. Plutôt que de le rapprocher de ses employés, cette curieuse pratique a eu pour effet de les rendre encore plus hostiles à son endroit.

L'arrivée de Tom Runnells n'allait pas arranger les choses. Le nouveau gérant engueulait devant le reste de l'équipe un joueur qui avait commis une erreur. Il imposait des couvre-feux quand les Expos jouaient à domicile — Larry Walker, en particulier, n'en revient toujours pas —, et chacun savait que dans le cours d'un match, il réagissait toujours trop tard aux stratégies de l'adversaire. Aucun joueur des Expos n'avait de respect pour le successeur de Buck Rodgers.

Gary Carter l'a décrit (gentiment) ainsi : « Plutôt que d'apprendre le métier, Runnells se comportait en gérant vedette, comme s'il avait plusieurs années d'expérience. »

Au premier jour du camp d'entraînement de 1992, le jeune gérant des Expos a révélé au grand public nord-américain toute l'ampleur de son jugement : il s'est présenté sur le terrain en tenue militaire de combat. Les jeunes athlètes américains qui travaillaient sous ses ordres n'étaient toutefois pas assez jeunes pour ignorer les horreurs de la guerre du Viêt-nam. La photo de Runnells, déguisé en général Schwarzkopf prêt à l'assaut, a fait le tour de l'Amérique. Personne n'a trouvé la plaisanterie de bon goût.

Les Expos ayant connu un départ tout à fait raté en 1992, Tom Runnells a cédé sa place à Felipe Alou le 22 mai.

« Toutes mes décisions visaient à remporter une Série mondiale », a dit Runnells quelques mois après son congédiement. « Je me souviens d'un jour où Dennis Martinez et Tim Wallach m'ont demandé la permission de s'absenter du camp d'entraînement. Ils voulaient disputer un match de golf. J'ai refusé. Si ça, c'était demander trop de discipline, je n'y comprends rien…

« Je n'ai pas été en poste assez longtemps pour faire le bilan de mon séjour à Montréal, mais je ne regrette rien. J'aimerais retourner dans les ligues majeures un jour à titre de gérant ou d'instructeur.

« Je pense qu'on a beaucoup exagéré en ce qui concerne la discipline. Les couvre-feux existaient avant moi, et je n'ai jamais téléphoné chez un joueur pour savoir s'il était rentré. Et je n'ai jamais engueulé mes hommes, je m'expliquais avec eux quand ils avaient commis une erreur, c'est tout. Je m'attendais à ce que chacun offre le maximum de ses capacités et je ne crois pas que ce soit trop demander à quelqu'un qui gagne quelques millions par année.

« En me congédiant, Dan Duquette a dit que je manquais d'expérience, mais je crois avoir accompli du bon travail. »

Cet homme très confiant l'était beaucoup moins devant un groupe de journalistes. Il s'est vite attiré une certaine antipathie en arrivant souvent en retard aux conférences de presse quotidiennes et en répondant de manière brève et banale. Comparé à Rodgers et Felipe Alou, le manque de prestance de Runnells devenait un sérieux handicap. Bref, il était difficile pour tout le monde de le prendre au sérieux.

Quand les Expos l'ont congédié, Runnells a refusé le poste de gérant de la filiale AAA des Reds de Cincinnati. Il était convaincu qu'une équipe des ligues majeures l'embaucherait. Il a même déclaré qu'il allait rencontrer le propriétaire des tout nouveaux Rockies du Colorado et lui demander d'être embauché comme gérant. Le lendemain, des représentants des Rockies se sont empressés de nier qu'une telle rencontre devait avoir lieu. Les gens du milieu ont ri.

Runnells a depuis occupé divers poste de gérant et d'instructeur dans les ligues mineures. Souvent candidat à des emplois dans les majeures, il ne les a jamais obtenus.

Gary Carter, qui a joué sous les ordres de Karl Kuehl et Runnells, croit qu'ils avaient le même problème chez les Expos : « Ni l'un ni l'autre n'a réussi à mériter le moindre respect de la part de ses joueurs. »

LE JOUR LE PLUS SOMBRE

Chapitre 21

LE JOUR LE PLUS SOMBRE

Cette nuit-là, Steve Rogers a dormi comme un bébé. Il venait pourtant de vivre le jour le plus sombre de l'histoire des Expos : le 19 octobre 1981.

Rogers n'avait pas à s'en vouloir parce que sans lui, son équipe n'aurait jamais atteint la série de championnat de la Ligue nationale. Après le circuit de Rick Monday, après avoir vu les espoirs d'une participation à la Série mondiale s'envoler, le lanceur numéro un des Expos a longuement répondu à toutes les questions des nombreux journalistes. Il s'est ensuite rendu directement chez lui et s'est paisiblement endormi, satisfait de sa fiche de 4-0 en séries éliminatoires, ravi d'avoir remporté deux victoires contre Steve Carlton dans la mini-série contre les Phillies, d'avoir permis aux Expos de terminer au premier rang avec un match de deux coups sûrs contre les Mets, d'avoir battu les Dodgers 4-1 plus tôt dans la série de championnat...

« Si je n'avais pas aussi bien lancé au cours de ces quatre parties précédentes, nous n'aurions pas disputé le match décisif contre les Dodgers. Ces quatre victoires sont parmi les plus satisfaisantes de ma carrière.

« Après la dernière défaite, une fois rendu à la maison, la déception a pesé lourd pendant quelques minutes, mais je m'en suis vite remis. Je me suis dit que j'avais fait mon possible pour que

173

ce lancer soit le bon. Je n'ai pas été imprudent, je savais très bien que Rick Monday était le frappeur le plus dangereux des Dodgers depuis le début de cette série. »

Ce jour-là, tous les amateurs de baseball du Canada s'étaient rangés derrière les Expos et la table était mise pour un moment de gloire sportive. Ray Burris et Fernando Valenzuela avaient offert un beau duel de lanceurs, et le compte était égal à 1-1 après huit manches de jeu. Steve Rogers est tout à coup sorti de l'enclos des releveurs à la grande surprise de tous, y compris celle de Burris. « Je lançais de mieux en mieux et j'étais déçu d'avoir à céder le monticule. Cet épisode m'a longtemps tracassé. Il y avait de bons releveurs disponibles, Woodie Fryman, Jeff Reardon, Dan Schatzeder... » Sans parler de Bill Lee.

La version du gérant Jim Fanning : « Burris n'était pas en sa meilleure forme ce jour-là. Je craignais qu'il finisse par accorder un long circuit. »

Fanning et Rogers avaient vaguement discuté de l'utilisation des lanceurs pour ce match crucial. « Il n'y avait rien de précis, mais Steve savait que je pouvais faire appel à lui. »

Rogers : « C'était entendu comme ça. La veille, je n'avais pas lancé le long des lignes, comme prévu, pour me garder disponible pour la cinquième partie. Nous ne savions pas si la blessure de Reardon lui permettrait de jouer. Jeff nous assurait qu'il était en bonne condition physique. Fanning avait d'abord prévu de m'envoyer au monticule à partir de la cinquième manche et de laisser la neuvième à Reardon. Ce plan n'a jamais été mis à exécution.

« J'étais trop excité, l'adrénaline était trop forte. Les lanceurs de relève savent comment se conduire dans ces situations. Je lançais trop fort, ma motion était saccadée. »

Rogers a d'abord forcé Ron Cey à frapper un long ballon que Tim Raines a capté à la clôture. Monday a suivi et il avait un compte de trois balles et une prise quand le lanceur des Expos lui a offert une rapide.

« Je n'étais pas en excellente forme ce jour-là. Ma rapide devait tomber mais elle s'est logée au milieu de la zone des prises. »

Lorsque Jerry White a mis fin au match sur un roulant en fin de neuvième, un rêve venait de s'écrouler. Le retour à la réalité était brutal. Adieu Série mondiale. Les Expos étaient passés si près !

« Si j'avais joué à New York, dit Rogers aujourd'hui, on m'aurait parlé mille fois de cet unique lancer. Je crois qu'on m'a questionné quelques centaines de fois à Montréal... Ça ne me dérange pas, cette défaite fait partie de ma carrière. Mais j'ai tendance à me fâcher lorsque mon interlocuteur ajoute une remarque négative. Je n'apprécie pas les blagues non plus. Malheureusement, on se souviendra toujours de ce lancer, il est inscrit à jamais dans le grand livre du baseball. »

Steve Rogers a lancé 129 matchs complets et ce chiffre demeure un record chez les Expos. Il tenait à terminer ses matchs et nul doute que cette attitude a écourté sa carrière et l'a privé d'une fiche gagnante de .500 ou plus.

« J'ai beaucoup lancé. Trop. J'avais toujours des difficultés au mois d'août. À chaque année, je m'écroulais. Mon bras ne suivait plus, il prenait un moment de repos et je n'y pouvais rien. »

Quant à Rick Monday, il aime rappeler deux exploits. Au Wrigley Field de Chicago, il a un jour épargné le drapeau américain que deux spectateurs s'apprêtaient à brûler dans les gradins du champ gauche. Le circuit contre Rogers vient tout de suite après. « Je n'ai pas frappé la balle d'aplomb et je ne pensais pas qu'elle franchirait la clôture. Je me disais qu'avec un peu de chance, elle pourrait atteindre le mur. J'étais très surpris de la voir sortir du terrain.

« Il s'agit sans aucun doute du coup de bâton le plus important de ma carrière. Les Yankees nous attendaient en Série mondiale et nous les avons battus à leur tour. » Pendant les années qui ont suivi, Rick Monday n'a pas été le bienvenu à Montréal. « Quand j'y suis retourné l'année suivante, je me suis rendu dans un bar avec mon coéquipier Steve Yeager. Le patron nous a demandé de quitter les lieux parce qu'un groupe de cinq clients au fond de la salle avait l'intention de nous botter le derrière... « Dix ans plus tard, alors que je travaillais comme commentateur des matchs des Dodgers, un monsieur m'a dit, pendant que je me trouvais dans une des toilettes du Stade olympique, que j'avais détruit la concession des Expos... »

SPACEMAN EN GRÈVE

Chapitre 22

SPACEMAN EN GRÈVE

Bill Lee a toujours été le préféré des journalistes et d'une grande part des partisans des Expos. Rencontrer cet homme et échanger quelques mots avec lui laisse un souvenir inoubliable. Lorsqu'il fut échangé aux Expos, Lee, à qui on demandait ce qu'il pensait de sa nouvelle casquette, a bien fait rigoler les journalistes en répondant : « Elle est très bien, cette casquette. Il ne lui manque qu'une petite hélice au-dessus… »

À la même époque, le commissaire du baseball a fait savoir à tous les clubs, par écrit, que le baseball majeur avait un code vestimentaire à respecter, et cela en tout temps. Le message visait Bill Lee d'abord, et le lanceur des Expos a répondu le lendemain à l'exercice d'avant-match avec une toilette remarquable : casquette de travers, un bas traînant à la cheville, l'autre monté jusqu'au genou, vieux tee-shirt déchiré et sorti à moitié du pantalon de baseball. Les photos ont fait le tour de l'Amérique… Tommy Lasorda, des Dodgers, était outré.

Mais si les journalistes et les fans adoraient ce grand Californien surnommé Spaceman, les dirigeants du baseball attendaient l'occasion de s'en débarrasser. Lee leur a rendu ce service le 8 mai 1982, jour de l'accident fatal de Gilles Villeneuve au Grand Prix de Belgique.

179

Les Expos avaient congédié leur joueur de deuxième but Rodney Scott en matinée. Les raisons de John McHale : « Scott ne participe plus aux activités de l'équipe. Il refuse de s'entraîner, il s'absente des réunions d'équipe et il dort sur une table du vestiaire pendant les parties. »

En fait, Rodney Scott avait des problèmes de drogue, et Bill Lee souhaitait que la direction des Expos vienne à son aide. Il était déjà furieux lorsque le gérant Jim Fanning a servi à ses hommes un violent discours avant un match contre les Dodgers : « Vous ne méritez pas de jouer sur le même terrain que les Dodgers... »

« Je voulais le tuer, avoue Lee, mais Andre Dawson m'a retenu. Je me suis contenté de lancer une chaise contre un mur. »

Il a aussi déchiré l'uniforme des Expos et, pour se calmer, s'est rendu au parc Maisonneuve pour son jogging quotidien. « Sept kilomètres, à tous les jours, pour la forme... »

Le coureur solitaire s'est arrêté en chemin pour cueillir une fleur à l'intention de son coéquipier Scott. Le cadeau a toutefois abouti sur le bureau de Jim Fanning, avec une note.

« Quand je suis revenu au stade, j'ai trouvé Scott qui pleurait devant son casier. J'ai vu rouge, je suis parti à la recherche de Fanning avec l'intention de l'inviter à se battre. Il nous avait dit un jour qu'il avait reçu comme cadeau de Noël une paire de gants de boxe et que si l'un de nous n'était pas d'accord avec ses décisions, il pourrait discuter de la question avec ses poings. Il nous avait aussi ordonné de laisser une note à son bureau en cas de retard. J'ai laissé la fleur avec une note. Je lui ai écrit que l'heure était venue, qu'il traitait Scott comme un chien et que je l'attendais à mon bureau pour régler son cas. »

Le bureau en question se trouvait dans un bar de la rue Hochelaga, à deux pas du stade. Selon son habitude, Lee a disputé quelques matchs de billard à la Brasserie 77 — aujourd'hui Brasserie 99 — et bu cinq bouteilles de bière. « Tous les clients de ce bar sont francophones. Il y avait au mur une vieille photo de groupe des Expos et au-dessus de la tête de chaque joueur échangé ou congédié, ils avaient placé une fleur de lys.

« J'étais un habitué des grèves, j'avais protesté de la même façon en faveur de Bernie Carbo, que les Red Sox de Boston avaient maltraité... »

À la télé, les clients de la Brasserie 77 voyaient Jim Fanning, furieux à son tour, demander des lanceurs de relève. (Les Dodgers ont remporté le match 10-8.) Lee s'est laissé convaincre de regagner le stade, où il a demandé une rencontre avec le gérant. Ce dernier a refusé de le voir et lui a appris que le président du club, John McHale, l'attendait le lendemain matin.

La rumeur veut que Lee ait passé la nuit dans la région d'Ottawa. Il aimait conduire sa voiture pour réfléchir.

À son retour au Stade olympique le lendemain, John Milner, un coéquipier, lui a offert la moitié d'un sandwich pour l'aider à se remettre. « Contrairement à ce que vous avez écrit, je me suis présenté au bureau de McHale avec un sandwich aux œufs et non pas au beurre d'arachides », a précisé Lee au profit des journalistes quelques jours tard.

John McHale a eu la désagréable surprise de trouver Lee assis, les jambes croisées, sur le luxueux tapis de sa suite au stade et il a immédiatement convoqué son adjoint, Gene Kirby, ainsi que le représentant des joueurs, Steve Rogers. Lee a confirmé tout ce qu'on avait raconté à McHale et ce dernier l'a congédié sur-le-champ, ajoutant une amende de 5000 $. Steve Rogers n'est jamais intervenu.

McHale : « Bill Lee a laissé tomber ses coéquipiers et nos partisans. Il a commis la plus grave infraction pour un joueur de baseball : abandonner son équipe. Je n'avais pas d'autre choix. » L'establishment du baseball allait enfin prendre sur le Spaceman la revanche tant espérée.

« Pourquoi une amende en plus du congédiement ? C'est comme demander de l'argent à un homme qu'on est sur le point de pendre... » Bill Lee n'était évidemment pas d'accord, mais la suite serait encore plus cruelle : aucune équipe n'a réclamé ses services...

« Au début, je ne comprenais pas. J'étais bon joueur, lanceur partant et lanceur de relève, gaucher en plus, toujours en excellente forme et plutôt bon frappeur. J'ai finalement compris que j'étais banni du baseball. J'étais devenu un Satchel Paige blanc... »

Bill Lee vit maintenant au Vermont, « d'où je vois la frontière du Québec de la fenêtre de ma cuisine. Aller en ville, pour moi, signifie toujours me rendre à Montréal... »

Il reçoit 40 000 $US par année du fonds de pension des ligues majeures de baseball et vit plutôt bien. Pour passer le temps, il organise et participe à des tournées sportives.

« Les gens ne m'ont pas oublié, je suis flatté. J'ai été lanceur pour une équipe de professeurs de Californie contre le club national en Russie. J'ai joué au Japon, en Corée et à Guam avec des anciennes vedettes du baseball, j'ai disputé 40 matchs de balle molle en 46 soirs avec des légendes de la Ligue nationale de hockey.

« J'ai joué avec des équipes semi-professionnelles dans les provinces maritimes, un coin que j'aime beaucoup. Un jour, dans un tout petit village entre Moncton et Saint-Jean, un vieux monsieur est venu me voir. Il ne s'était pas rasé depuis plusieurs jours et portait à la ceinture un couteau de pêcheur. Il s'est présenté : « Je m'appelle Doug Harvey et je vous reconnais, monsieur Lee. Je vous admire comme athlète et comme homme. Je n'ai pas aimé ce que les Expos vous ont fait. Si je peux vous aider, n'hésitez pas. »

Doug Harvey, l'un des fondateurs de l'Association de joueurs de la LNH, et Bill Lee ont tous deux été bannis par les magnats du sport, tous deux pour avoir pris la défense de leurs confrères...

Aux dernières nouvelles, Lee a offert ses services aux Expos comme entraîneur des lanceurs. « Je ne m'attends à rien parce que je fais toujours peur à ces gens-là. Je parle fort et je dis tout ce que je pense...

« J'espère que les Expos l'auront, leur stade en plein air. Ces gros stades qui servent à toutes sortes d'événements sont affreux. Le Stade olympique est dépassé. Il nous faut une sorte de Fenway Park près du Centre Molson, quelque chose comme ce qu'ils ont construit à Baltimore, à Cleveland et au Texas. Il nous faut un stade de baseball... »

LE TALENT GASPILLÉ
D'ELLIS VALENTINE

Chapitre 23

LE TALENT GASPILLÉ D'ELLIS VALENTINE

« Le plus grand talent que nous avons vu… » C'est ainsi que Jim Fanning, qui a travaillé pendant 25 ans chez les Expos, décrit Ellis Valentine encore aujourd'hui.

En langage de baseball, il s'agissait d'un joueur à « cinq outils » : à 6 pi 4 po et 205 livres, Valentine avait de la vitesse, des mains infaillibles en défense, un bras d'une force et d'une précision extraordinaires, de la puissance et de la constance au bâton. On a souvent prédit qu'il deviendrait un Willie Mays ou un Roberto Clemente, qu'il pouvait frapper 40 circuits et produire 125 points à chaque saison.

Mais la drogue et l'alcool ont complètement anéanti les espoirs des Expos et presque tué le jeune homme de l'Arkansas.

Aujourd'hui, ceux qui l'ont côtoyé pendant sa période folle ne le reconnaissent plus. « La vie est belle, j'ai une merveilleuse famille, je viens de m'acheter une maison, je sais qui je suis. Je devrais être mort. J'ai eu très peur et je faisais peur. Je suis reconnaissant pour tout ce qui m'arrive maintenant. »

Autrefois solitaire et silencieux, Valentine n'en finit plus de raconter ses aventures. Depuis 1988, il est thérapeute dans un centre de désintoxication de Californie.

En plus de la drogue et de l'alcool, Valentine avait d'autres problèmes que les Expos ont vite découverts : un faible degré de résistance à la douleur et une attitude rébarbative face à toute autorité, celle de Dick Williams en particulier. Il se faisait presque une fierté d'être mis à l'amende par son gérant. Valentine se présentait au stade souvent en retard, encore étourdi par la cuite de la veille, et il se rendait directement au bureau de Williams pour lui remettre de main à main deux billets de 100 $. « Je suis honnête. Quand je gaffe, j'en prends la responsabilité. »

Williams lui témoignait un grand respect en laissant un espace libre sur la feuille où est inscrite la formation partante du jour. Si Valentine arrivait à temps pour le match, le poste était à lui.

« Williams savait bien que je portais l'équipe sur mes épaules, que rien ne fonctionnait sans moi. Je ne cherchais pas à défier le gérant, mais je détestais les entraînements d'avant-match. Je n'en avais pas besoin, ça brûlait mes énergies. »

Un jour, Valentine a réussi à se mettre à dos toute l'équipe en quelques secondes. Il a frappé ce qu'il croyait être un circuit et entrepris le tour des buts en se traînant les pieds. Mais la balle est revenue en jeu après avoir frappé la clôture et Valentine est arrivé tout juste à temps au deuxième. Et sur le jeu suivant, il a été pris à contre-pied au deuxième. « Pendant que je retournais au banc, la tête basse, la foule m'a hué, et je lui ai fait signe d'y aller, je le méritais. Mais les journalistes ont écrit que je m'étais moqué du public, ce qui était contre mes principes. J'ai toujours respecté nos partisans. »

Le numéro 17 était en effet généreux envers les fans des Expos. Il rendait souvent visite aux enfants dans les hôpitaux, il bavardait avec les spectateurs et signait de nombreux autographes. Même les dirigeants des Expos sont d'accord : Ellis Valentine était, au fond, un bon garçon.

Mais il avait le don de faire suer Dick Williams. Pendant une suspension de trois parties pour avoir bousculé un officiel, Valentine a choisi de rester chez lui. « Pourquoi me rendre au stade ? Je n'étais pas une meneuse de claques. »

« Williams voulait me punir, et quand la suspension a pris fin, il m'a laissé sur le banc. Vida Blue lançait pour les Giants et ils menaient 2-0 en fin de partie. Nous avons placé deux coureurs sur les buts et Williams m'a désigné comme frappeur d'urgence.

Je n'ai même pas pris d'élans d'échauffement. Je me suis levé, j'ai ramassé un bâton et je me suis rendu directement au marbre. Et puis j'ai frappé un circuit qui nous a permis de l'emporter 3-2. Après avoir mis le pied sur le marbre, je n'ai pas arrêté de marcher. J'ai quitté le terrain, j'ai enlevé mon uniforme et je me suis rendu chez moi. »

Valentine a connu un moment de gloire quand la télévision américaine a sélectionné l'un de ses exploits défensifs parmi les 10 meilleurs de l'année. La scène a été retransmise de nombreuses fois dans tous les foyers nord-américains. Dave Concepcion, des Reds, se trouvait au troisième but quand Pete Rose a cogné une flèche dans le champ centre-droit. Un point facile pour les Reds. Mais Valentine a capté la balle alors qu'il tournait le dos au marbre et après un rapide pivot, hors d'équilibre, il a réussi à retirer Concepcion au marbre.

« J'avais beau être *stoned,* il fallait le faire. J'étais très fier de cet exploit. On m'a comparé à Willie Mays, mais ce n'est pas correct. Je n'aimais pas être comparé à Andre Dawson non plus, ni à qui que ce soit... »

Un match contre les Cards de Saint Louis en 1980 allait annoncer le déclin d'Ellis Valentine. Une rapide de Roy Thomas l'a atteint à la joue et il n'a posé aucun geste pour l'éviter. « J'étais drogué, j'ai figé. Je ne sentais pas la douleur tellement il y avait de produits chimiques dans mon corps. J'étais sonné, mais seul le soigneur Ron McLain est venu m'aider. Aucun de mes coéquipiers n'a bougé de son siège.

« Les Expos m'ont ramené à Montréal en jet privé. Ils ont bien pris soin de moi. Une fois à l'hôpital, Larry Parrish m'a rendu visite. Parrish, le beau grand *All American* tout blanc. J'ai beaucoup apprécié son geste et je ne l'oublierai jamais. »

La rapide de Roy Thomas a convaincu la direction des Expos que le talent d'Ellis Valentine était grandement usé. Une transaction, fort avantageuse pour l'équipe de Montréal, l'envoyait aux Mets de New York le 29 mai 1981, contre Jeff Reardon et Dan Norman. « J'avoue qu'après cette blessure j'étais craintif au bâton. »

Après de courts et très oubliables séjours à New York, en Californie et au Texas, Valentine a annoncé sa retraite en 1985. Il avait 31 ans. « Ellis est peut-être jeune, a commenté Tom Grieve, à l'époque d.g. des Rangers du Texas, mais il a abandonné le baseball il y a longtemps… »

À Montréal, les quatre cents coups de Valentine ont alors été racontés au public. L'achat d'une Cadillac Eldorado à 17 ans, par exemple, après avoir empoché un bonus de 38 000 $ des Expos. Un premier 11 000 $ flambé en quelques heures… « Je me suis présenté chez le concessionnaire avec mon chèque, mais aucun vendeur ne me prenait au sérieux. Ils ne voulaient pas me servir. Il a fallu que mes parents s'en mêlent. »

Quelques semaines plus tard, la Cadillac était saisie par les policiers de Montréal. Une jeune femme accusait Valentine et deux autres hommes de l'avoir kidnappée et violée dans la voiture. « J'avais 17 ans et je fréquentais des garçons dans la vingtaine. J'ai plaidé coupable à l'accusation de kidnapping, mais je n'ai jamais touché à la jeune fille. Les Expos ont réussi à me sortir du pétrin. »

En 1975, Valentine s'est rendu en République dominicaine, à la demande des Expos, pour y disputer une saison de baseball d'hiver. Il s'est vite retrouvé en prison. « Une jeune fille m'a approché dans un bar et quand j'ai refusé de m'asseoir avec elle, elle m'a dénoncé à la police. Elle savait qu'il y avait de la marijuana dans ma chambre d'hôtel. J'ai passé une nuit en cellule et les Expos ont réussi à me faire libérer le lendemain. Je me suis senti coupable envers les Expos, qui m'avaient envoyé là-bas. »

Valentine avoue avoir consommé de la marijuana dès l'âge de 14 ans. Il a découvert la cocaïne dans les ligues mineures de baseball et commencé à s'y adonner plus sérieusement en 1975, lors de son arrivée à Montréal. « Je me suis dit que dans les ligues majeures, j'allais consommer des drogues des ligues majeures. Je ne blâme personne, je me suis fait tout ce tort moi-même.

« Avec le temps, j'ai commencé à m'isoler. Je restais seul chez moi et je passais des nuits entières à boire et à me droguer. Je me sentais coupable, j'en voulais à tout le monde, c'était l'enfer…

« J'avais eu le malheur de cogner deux circuits dans un match sous l'influence de la cocaïne. J'en avais conclu que la drogue améliorait mes performances.

« Je crois maintenant que la drogue est responsable de mes nombreuses blessures. Je ne sentais rien et elles s'aggravaient en n'étant pas soignées. J'étais convaincu que le soigneur des Expos, Ron McLain, agissait comme informateur pour la direction du club. Personne ne croyait que j'avais mal… »

Après 17 ans de consommation de drogue et d'alcool, Valentine s'est finalement inscrit en cure de désintoxication en 1986, à la demande de sa mère et de Dock Ellis, un ancien baseballeur qui avait parcouru le même chemin.

« Dock me suivait et me surveillait. Puis, un jour, il est venu chez moi et m'a demandé si j'étais prêt. Je lui ai montré le cabinet où étaient cachées mes bouteilles et ma provision de drogue et j'ai répondu : "Pas tout de suite." Il est revenu trois fois, et j'ai finalement cédé. Je l'ai suivi. »

À sa sortie d'une cure de six semaines, Valentine a obtenu un emploi dans un aéroport. Pour 4,25 $ l'heure, il déplaçait des voitures de location. Un ami a réussi à lui obtenir une augmentation de 1,25 $ s'il consentait à emplir les réservoirs d'essence. Une belle leçon d'humilité pour celui qui gagnait 350 000 $ en 1981.

« Quand j'ai rempli le formulaire d'emploi chez Avis, j'ai inscrit "joueur de baseball des ligues majeures" dans la colonne des expériences précédentes. »

Valentine est maintenant directeur d'un programme de réhabilitation pour drogués et alcooliques en Californie. « Je travaille souvent avec des athlètes professionnels et des gens du cinéma. »

À son retour à Montréal en 1993, lors d'un match des anciens, la foule a fortement applaudi Ellis Valentine. « Je suis allé me cacher dans les toilettes et j'ai pleuré… »

NIXON ET HUDLER :
DEUX SURVIVANTS

Chapitre 24

NIXON ET HUDLER : DEUX SURVIVANTS

Le premier était un drogué, le second un joueur de football recyclé. Otis Nixon et Rex Hudler ont tous deux été repêchés par les Yankees de New York, en 1979 et 1978, mais ils ont traîné dans les mineures pendant plusieurs années avant de se retrouver, après de nombreux déménagements, dans la modeste organisation des Expos et finalement à Montréal en juin 1988.

Rappelés de la filiale AAA d'Indianapolis, les deux hommes avaient droit au salaire minimum de l'époque : 62 500 $. Mais ils ont vite injecté aux Expos la vitesse qui leur manquait et ils ne sont jamais retournés dans les mineures par la suite.

Nixon a connu la gloire et la fortune avec les équipes pour lesquelles il a ensuite joué — Atlanta, Boston, Texas et Toronto. Il a depuis encaissé plus de 15 millions de dollars.

Quant à Hudler, malgré qu'il soit encore réserviste, il a toujours été en demande, et il a obtenu des contrats au-delà de ses plus folles espérances.

Avant 1988, les deux hommes n'avaient pas prouvé aux dirigeants du baseball majeur qu'ils possédaient les atouts pour réussir. Alors qu'il jouait à Buffalo, dans la filiale des Indians de Cleveland, Nixon a été arrêté pour possession de drogue et sa carrière semblait terminée. Aucune équipe ne voulait de lui en 1988 quand les Expos l'ont trouvé à la maison. On lui accordait une dernière chance : un contrat des ligues mineures assorti d'une invitation au camp d'entraînement du grand club.

Hudler, un cowboy de l'Arizona, est doté d'une patience inébranlable. Lui aussi avait eu droit à une offre semblable du directeur général, Bill Stoneman, quelques mois plus tôt.

Vingt-cinq universités américaines, dont la prestigieuse Notre Dame, lui avaient offert des bourses complètes comme joueur de football. « Joe Montana était le quart à Notre Dame. Mais j'ai choisi le baseball, un sport moins dur pour le corps. J'avais 17 ans, et George Steinbrenner, le propriétaire des Yankees, m'offrait un bonus de 125 000 $ pour oublier le football. À ce jour, une partie de cet argent ne m'a pas encore été versée.

« On s'attendait à ce que je passe aux ligues majeures après un an ou deux d'apprentissage, mais ça ne s'est pas passé comme ça du tout. Je suis resté dans les mineures pendant 10 ans. »

Gary Hughes, le superdépisteur des Expos et transfuge de l'organisation des Yankees, a presque supplié le gérant Buck Rodgers d'accorder une chance à Hudler. Le gérant des Expos a accepté sans savoir de qui il s'agissait.

« Nous avions besoin de joueurs, n'importe qui, pour compléter nos formations au camp d'entraînement, raconte Rodgers. Hudler était très rouillé. Il avait passé l'année précédente sur le banc, et ses réflexes étaient trop lents pour lui permettre de rivaliser avec les lanceurs. Nixon aussi avait besoin de se remettre en forme. »

En quelques mois à Indianapolis, Nixon et Hudler ont repris le dessus, et Bill Stoneman a renvoyé Casey Candaele et Herm Winningham pour leur faire place. Nixon avait volé 40 buts et Hudler se révélait tout à coup frappeur de puissance. Leur enthousiasme et leur agressivité sur les sentiers ont tout de suite injecté une nouvelle vie aux Expos de 1988. « Tous les deux ont été de la formation partante dès leur arrivée, se souvient Rodgers, et ils ont réveillé les autres. »

Hudler n'a pas oublié la surprise sur le visage du gérant. « Rodgers ne comprenait pas ce qui venait de lui arriver. Jour après jour, nous l'avons étourdi et nous avions beaucoup de plaisir à le faire. »

Nixon a volé 46 buts et Hudler a frappé comme jamais dans sa vie : moyenne au bâton de .273, quatre circuits et 29 buts volés. Son vol du marbre, un certain 3 juillet, avec l'audace d'un footballeur, demeure l'un des beaux moments de la saison.

Ils étaient encore ensemble avec les Expos en 1990, lorsque Hudler a été échangé aux Cards de Saint Louis. Les Expos étaient convaincus qu'une jeune recrue, Delino DeShields, allait pouvoir régler tous leurs problèmes au deuxième but.

« Les fans des Cardinals m'ont aimé tout de suite. Je suis devenu la coqueluche de Saint Louis », raconte Hudler qui, pour la première fois de sa vie, obtenait un contrat intéressant : 600 000 $ pour deux ans.

Le 1er avril 1991, Nixon passait aux Braves d'Atlanta, qui partageaient le stade d'entraînement des Expos à West Palm Beach. Buck Rodgers n'était pas d'accord. « Cette transaction n'aurait jamais dû se produire. Nous l'avons cédé pour rien, un receveur des mineures [Jimmy Kremers]. J'ai finalement compris que [le président] Claude Brochu refusait de payer le salaire de 585 000 $ de Nixon et qu'il faisait pression sur Dave Dombrowski. C'était une erreur. Nixon était le meilleur voltigeur de centre des majeures à l'époque. »

Le geste des Expos a ébranlé Nixon aussi. « J'ai d'abord cru qu'il s'agissait d'un poisson d'avril. Vraiment. Mais ce n'était pas une blague, les Expos ne voulaient pas que je joue à temps plein et ils ne voulaient pas me payer. L'affaire a bien tourné pour moi à Atlanta. »

Claude Brochu cherchait en fait à économiser — habitude qui allait s'intensifier au cours des ans — pour combler deux jeunes vedettes montantes, deux voltigeurs, Marquis Grissom et Larry Walker. Mais sa décision allait hanter les Expos pendant quelques années. Nixon a explosé à Atlanta en 1991 : moyenne au bâton de .297 et 72 buts volés, un nouveau record des Braves. Le 16 juin, il a volé six buts en un seul match pour égaler le record des ligues majeures. L'adversaire du jour : les Expos de Montréal. « C'est la transaction que je regrette le plus, devait avouer Dave Dombrowski plus tard. Je ne croyais pas qu'Otis avait un tel coup de bâton. »

Mais au sommet de sa gloire, Otis Nixon a sombré de nouveau dans le monde de la drogue. Depuis son arrestation à Buffalo, le commissaire du baseball lui imposait jusqu'à trois tests antidopage par semaine. En septembre 1991, un de ces tests s'est avéré positif. Une suspension de 60 jours a suivi. Les Braves ont disputé les séries éliminatoires sans lui, et la direction du club a parlé de « trahison ». Mais l'hiver suivant, ces mêmes patrons lui proposaient un nouveau contrat de deux ans de 5,3 millions. Pendant ce temps, les Angels de la Californie, dirigés par Buck Rodgers, lui présentaient une offre, mais Nixon a finalement choisi de demeurer à Atlanta. En 1993, il passait aux Red Sox avec un contrat de six millions pour deux saisons. Échangé aux Rangers du Texas en 1995, il a établi une marque personnelle avec 45 points produits. Cet exploit lui a valu un contrat de plus de 4 millions pour deux ans avec les Blue Jays de Toronto, à titre de joueur autonome. Otis Nixon peut dire aujourd'hui que la chance lui a souri…

Rex Hudler n'a pas gagné autant d'argent que son compagnon, mais il est millionnaire, lui aussi. Après Saint Louis, il a joué au Japon, où les joueurs médiocres pouvaient gagner beaucoup d'argent rapidement. Un million pour une saison, dans son cas.

L'année suivante, les Angels de la Californie lui accordaient un contrat de 600 000 $ pour deux ans. Une somme modeste, mais Hudler en profitait une fois de plus pour étonner le monde du baseball : moyenne au bâton de .311, 60 points marqués, 16 circuits et 40 points produits. Son statut de réserviste de luxe a convaincu les Indians de Cleveland, les Orioles Baltimore, les Phillies de Philadelphie et les Dodgers de Los Angeles. Ces quatre clubs ont contacté son agent Arn Tellern et présenté leurs offres. Les Phillies l'ont finalement emporté : 2,6 millions pour deux ans. À 37 ans, Rex Hudler est lié aux Phillies jusqu'en 1999.

« J'avoue que je suis tombé en bas de ma chaise quand j'ai pris connaissance de l'offre des Phillies, dit Hudler. Mon meilleur contrat à vie, je l'ai obtenu à 36 ans.

« Il faut persévérer, mes amis… »

GREG HARRIS AU TEMPLE DE LA RENOMMÉE !

Chapitre 25

GREG HARRIS AU TEMPLE DE LA RENOMMÉE !

Greg Harris a attendu neuf ans avant de réaliser un de ses rêves : lancer de la main gauche dans un match des ligues majeures alors qu'il est droitier ! Cela ne s'était pas vu depuis qu'Elton « Ice Box » Chamberlain avait réalisé l'exploit avec l'équipe de Louis-ville, de l'Association américaine, en 1888.

Lancer des deux mains n'est pas bien vu dans les milieux du baseball. Les puristes considèrent qu'il s'agit d'une farce ou encore d'un numéro de cirque. Pas un mot, curieusement, contre les frappeurs ambidextres, que les équipes recherchent toutes.

Dès 1986, Harris harcelait ses entraîneurs pour obtenir la permission de lancer de la gauche. Le gérant Bobby Valentine, des Rangers du Texas, avait fini par céder, à condition que le match ne signifie rien au classement. Il avait accordé deux mois à son lanceur droitier pour se préparer. Mais les Rangers avaient lutté et remporté le championnat de leur division dans les derniers jours du calendrier ; Harris n'a jamais obtenu sa chance.

« Pendant l'hiver qui a suivi, Valentine a embauché tous les gauchers qu'il trouvait. On me répétait qu'il ne fallait pas ridicu-liser le baseball. Mais je savais que je pouvais lancer de la gauche contre des frappeurs des majeures. Mes coéquipiers le savaient aussi et ils m'encourageaient. »

Le grand jour de Greg Harris, un lanceur de 39 ans plutôt ordinaire, est arrivé le 28 septembre 1995, à Montréal. Et il n'a pas eu besoin de convaincre Felipe Alou. Le gérant des Expos a lui-même demandé à son releveur de préparer son petit spectacle. « Ça sera bon pour le baseball...

« Je n'en avais parlé à personne chez les Expos. Mais Felipe savait que je pouvais lancer de la gauche et il tenait à le voir.

« Nous étions à Miami, pour une série de matchs contre les Marlins, et il m'a demandé si j'étais prêt. Je ne savais pas s'il était sérieux. Après la deuxième rencontre, il m'a dit qu'on devrait le faire à Montréal, pour nos partisans. Je me suis donc préparé pour le samedi du dernier week-end du calendrier. Mais à notre premier match de retour à Montréal, nous étions en train de perdre par un score élevé et Felipe m'a demandé de réchauffer mes deux bras. Il m'a surpris, mon cœur s'est mis à battre très fort. »

Harris a commencé la huitième manche contre les Reds de Cincinnati et le frappeur de puissance Reggie Sanders, un droitier ; roulant à l'inter et retrait facile. Le frappeur suivant, Hal Morris, était gaucher. Il allait devenir un acteur dans un moment d'histoire du baseball.

« Felipe m'avait dit qu'il me fallait retirer Sanders d'abord. C'était fait et j'ai lentement retiré ma main gauche de mon gant pour y insérer la droite. »

Il faut savoir que, depuis 1986, Harris utilisait un gant fabriqué spécialement pour lui par la firme Mizumo, un gant à six doigts qu'il pouvait porter des deux mains. Le lanceur de 6 pi 1 po et 165 livres, qui n'avait jamais été une vedette et qui approchait de la fin de sa carrière, a été soudainement pris d'une grande nervosité. « J'étais physiquement prêt, mais mon cerveau avait du mal à fonctionner correctement. Tout le monde voyait que j'étais très nerveux. Mais après neuf années d'attente, je ne voulais pas laisser filer l'occasion. »

Le premier lancer a complètement raté la cible, au point où le receveur Joe Siddall n'est pas parvenu à l'arrêter. Les puristes bougonnaient déjà...

« Je ne trouvais pas le marbre, les trois lancers suivants sont passés près de la zone des prises, mais ils étaient hors cible et Morris a pris le premier but avec un but sur balles. »

Eddie Taubensee, un autre gaucher, a suivi et Harris a finalement réussi à lancer une première prise… suivie de deux balles. Et d'une fausse balle. Et d'une autre balle. Avec un compte complet, Taubensee a frappé un tout petit roulant que le receveur Sidall a facilement cueilli pour relayer la balle au premier but.

« Ses lancers étaient tellement lents… a dit le frappeur des Reds après le match. J'attendais que la balle arrive et elle prenait beaucoup de temps. Je me suis élancé trop tôt. J'avais aperçu Harris dans l'enclos des releveurs alors qu'il s'échauffait tantôt de la droite, tantôt de la gauche. Nous savions tous qu'il voulait lancer des deux mains, la rumeur était parvenue jusqu'à notre vestiaire. Le match ne comptait plus pour les Expos, ils étaient éliminés de la course et nous savions qu'ils pourraient sortir leur truc… »

Le frappeur suivant, Bret Boone, un droitier, a forcé Harris à remettre son curieux gant dans la main gauche. Après une fausse balle qui a fracassé une surface de plexiglas derrière le marbre, Boone a frappé un faible roulant que Harris a lui-même saisi pour mettre fin à la manche d'un court relais au premier.

Le lendemain, Harris rageait dans les couloirs du Stade olympique. « Les reprises à la télévision n'ont montré que mon premier lancer, celui qui a roulé jusqu'à l'écran-arrière. C'est typique du monde du baseball. Je me suis pourtant comporté comme un professionnel, je n'ai pas ridiculisé notre sport. Les Rangers du Texas ont amené Jose Canseco du champ gauche pour lancer une manche et personne ne s'est plaint… »

Mais Harris avait des supporteurs. Les gens du Temple de la renommée du baseball, à Cooperstown, lui ont demandé quelques jours plus tard la permission d'exposer son gant dans leur musée.

« J'étais très, très honoré. J'ai répondu que j'irais le porter moi-même. Il n'était pas question de le mettre dans la poste. Il s'agit d'une pièce d'équipement unique… »

Le printemps suivant, le receveur Joe Siddall, qui tentait de poursuivre sa carrière avec les Marlins de la Floride après avoir été congédié par les Expos, a reçu par la poste une réplique du gant de Harris.

« C'est très joli. Le gant est monté sur une base de verre, et il y a une plaque qui rappelle la date du match. J'ai beaucoup apprécié le geste, et ce trophée tient maintenant une place spéciale parmi mes souvenirs. Nous avons eu beaucoup de plaisir ce jour-là, même si l'exploit n'était pas vraiment sérieux.

« Mais j'avoue qu'après son premier lancer, celui qui est passé loin de moi et du frappeur, j'ai eu quelques doutes… »

JOEL YOUNGBLOOD :
UN CURIEUX EXPLOIT

Chapitre 26

JOEL YOUNGBLOOD :
UN CURIEUX EXPLOIT

Le 4 août 1982, Joel Youngblood, un joueur marginal qui n'a passé que deux mois avec les Expos, aura eu le temps de réussir un fait d'armes unique : deux coups sûrs avec deux équipes différentes, le même jour. Avec l'aide d'un chauffeur de taxi complice et de quelques avions rapides, Youngblood a poussé la coquetterie jusqu'à cogner ses deux simples dans deux villes différentes.

D'abord un simple bon pour la victoire des Mets au Wrigley Field de Chicago et puis, en soirée à Philadelphie, un autre pour les Expos. Et l'exploit ne manque pas de panache, puisqu'il a été réussi contre deux des plus grands lanceurs de l'ère moderne, Ferguson Jenkins et Steve Carlton.

« Je n'ai pas terminé le match à Chicago et je me demandais pourquoi on me remplaçait. Je venais de passer aux Expos en échange de Tom Gorman. Je n'ai pas rouspété, je n'ai pas boudé non plus, je me suis seulement dit que je pouvais, en me hâtant, arriver à Philadelphie à temps pour la partie de soirée.

« J'ai lancé mon équipement de baseball dans un sac de voyage et je me suis rendu à l'hôtel en vitesse pour y prendre mes effets personnels. En route pour l'aéroport de Chicago, j'ai réalisé que j'avais oublié mon gant de baseball dans l'enclos des

211

Mets. Demi-tour ! Le chauffeur de taxi a obéi avec un certain enthousiasme.

« Je suis parvenu de justesse à monter dans l'avion de 18 h en direction de Philadelphie. C'était le dernier avion et je courais dans les corridors. Je suis arrivé dans le vestiaire des Expos vers 20 h. Le match était commencé. »

Youngblood a pris place parmi ses nouveaux coéquipiers sur le banc des joueurs et il a attendu jusqu'en septième manche quand le gérant Jim Fanning lui a fait signe de se préparer. Il serait frappeur d'urgence.

« Je ne savais pas qu'il était question d'établir une sorte de record. Je voulais seulement commencer du bon pied avec les Expos. Après le match, on m'a fait savoir que je venais d'accomplir quelque chose de nouveau. Si on m'en avait parlé avant que je me présente au marbre, j'aurais été beaucoup plus nerveux. Mais j'ai toujours bien frappé contre Steve Carlton. »

Joel Youngblood a choisi de devenir joueur autonome à la fin de la saison et il a signé un contrat avec les Giants de San Francisco au cours de l'hiver. Il avait pourtant un fils dans la région, résultat d'un bref mariage avec une Québécoise francophone alors qu'il évoluait dans les ligues mineures à Trois-Rivières, en 1972. Mais les impôts canadiens, ainsi que la présence de Tim Raines, Andre Dawson et Warren Cromartie au champ extérieur, l'ont convaincu de retourner aux États-Unis le plus rapidement possible.

« J'ai perdu beaucoup d'argent pendant ces deux mois à Montréal. J'ai dû payer des impôts aux États-Unis et au Canada en même temps. C'était décourageant. J'ai demandé à la direction des Expos de m'échanger si elle le désirait. Mais on m'a libéré sans conditions. »

Avec les Giants en 1983, Youngblood a connu la meilleure saison de sa carrière : moyenne au bâton de .292, 17 circuits et 53 points produits. Mais il a vite perdu son poste de partant l'année suivante.

Ce grand voyageur aura réussi un autre exploit au cours de sa carrière : il a évolué à huit des neuf positions et tout cela dans les ligues majeures. Très peu de joueurs peuvent se vanter de ce haut fait.

« En 1988, avec les Giants, le gérant Roger Craig m'a demandé de m'échauffer avec les lanceurs de relève. J'étais très excité, j'attendais ma chance. Mais les Giants ont remonté le score et Craig m'a oublié. J'étais déçu... »

CARTER AUX PORTES DU TEMPLE

Chapitre 27

CARTER AUX PORTES DU TEMPLE

En janvier 1998, Gary Carter était candidat au Temple de la renommée du baseball, une des sociétés les plus exclusives du monde du sport. Contrairement à la Ligue nationale de hockey, les critères d'admission au panthéon du baseball sont très sévères et les décisions rarement contestées.

Le nom de Carter apparaissait pour la première fois et il a obtenu 200 votes sur les 355 requis. Le résultat était plutôt encourageant. De tous les joueurs considérés pour la première fois, il a amassé le plus grand nombre de votes. Seul le lanceur Don Sutton, avec 386 votes, était admis tandis que Tony Perez, un autre ancien des Expos qui a connu une grande carrière à Cincinnati, s'est vu refuser l'entrée une deuxième fois.

Les chances de Gary Carter de devenir le premier joueur des Expos à être admis à Cooperstown sont donc bonnes. Et il a promis, s'il était élu, de porter la casquette de l'équipe montréalaise — avec laquelle il a joué 11 ans — et ce, malgré ses six années au service des Mets de New York, des Dodgers de Los Angeles et des Giants de San Francisco.

« Les amateurs de baseball se souviennent de moi comme receveur des Expos. Et j'ai eu le privilège de terminer ma carrière avec l'organisation qui m'a accordé ma première chance. Mon entrée dans les ligues majeures en 1972 demeure le plus beau jour de ma carrière. Le plus triste, c'est le jour où les Expos m'ont échangé, en 1984. »

La plupart des observateurs croient que Carter a sa place au Temple de la renommée : il a occupé la position la plus exigeante, il s'est accroupi pendant plus de 2000 matchs, il a toujours joué en dépit de blessures, il a frappé 324 coups de circuit, produit plus de 1200 points et participé à 11 parties des étoiles.

« On m'a toujours dit que pour être admis, il fallait avoir joué au moins 10 ans, avoir dominé à sa position et accumulé des statistiques supérieures. Avec 10 matchs d'étoiles de suite, je pense y avoir droit. »

Carter est également très apprécié des journalistes. Parleur infatigable, il a séduit le public et les médias partout où il est passé.

« Victoire ou défaite, j'étais toujours présent pour répondre aux questions. Plusieurs joueurs n'appréciaient pas que j'accorde autant de temps aux journalistes. Cela a parfois créé de l'animosité dans le vestiaire. Les reporters se dirigeaient tous vers mon casier. Mais j'aimerais qu'on se souvienne de mon sourire, de mon enthousiasme sur le terrain et de mon amour du baseball.

« Je n'avais pas prévu abandonner aussi tôt, mais mon corps me criait qu'il en avait assez. Je ne voulais pas m'accrocher, je ne voulais pas que le public garde ce souvenir de moi. Le médecin qui a opéré mes genoux sept fois me défend même de pratiquer la balle molle ou le racquetball aujourd'hui... »

Ian MacDonald, le président du chapitre montréalais de l'Association des chroniqueurs de baseball, un organisme influent, se souvient d'un Carter très coopératif.

« Nous avons tous apprécié sa disponibilité, surtout au cours des années 1970 et 1980. Les Expos avaient de bons jeunes lanceurs comme Bill Gullickson et Scott Sanderson qui ne parlaient pas beaucoup. Carter comprenait que nous avions une heure de tombée et il commentait la performance du lanceur. Il parlait beaucoup de lui aussi, peut-être un peu trop, mais quand les Expos l'ont échangé, je l'ai remercié pour sa collaboration.

« Il aura sans doute les 10 votes de Montréal, mais je ne crois pas qu'il entrera facilement au Temple de la renommée. Il devra probablement attendre quelques années. »

Tim Burke, un autre vétéran reporter, y croit moins. « Les Expos n'ont rien gagné avec Carter. Je ne crois pas qu'il mérite une place aux côtés de receveurs comme Johnny Bench et Carlton Fisk. Mais il a toujours été gentil avec les journalistes. Il finira peut-être par être élu une année où la compétition ne sera pas forte… »

Quoiqu'il arrive, Gary Carter vivra bien. Pendant ses 18 saisons dans le baseball majeur, il a empoché 20 millions, dont 16 entre 1982 et 1989. Son bagout lui a permis d'obtenir facilement des postes de commentateur pour divers réseaux de télévision, dont ceux qui présentent les matchs des Expos.

Mais les relations entre Carter, son agent Dick Moss et la direction du club montréalais ont connu des moments sombres. En 1984, le propriétaire du club, Charles Bronfman, admettait publiquement qu'il regrettait de lui avoir accordé un contrat de huit saisons pour 16 millions et, après quelques discussions amères, les Expos l'ont finalement échangé aux Mets contre le receveur Mike Fitzgerald, le lanceur Floyd Youmans, l'inter Hubie Brooks et le voltigeur Herm Winningham. La transaction a secoué le petit monde du baseball montréalais.

En 1992, Carter revenait à Montréal après une autre longue et rude négociation avec Bill Stoneman, un ancien coéquipier. Les résultats ont toutefois été désastreux. Le vieux receveur avait beaucoup ralenti, ses genoux ne tenaient plus et sa moyenne au bâton était de .228 lorsque le gérant Felipe Alou en a eu assez.

« Une semaine avant la fin de la saison, Alou m'a dit que j'irais au bâton pour la dernière fois le 29 septembre et que je ne retournerais plus derrière le marbre. Il m'a souhaité de terminer l'année avec un coup sûr… »

Carter, toujours spectaculaire, a alors frappé un coup sûr par-dessus la tête d'Andre Dawson des Cubs de Chicago. Il ne devait plus jouer au baseball par la suite.

En 1993, les Expos ont retiré le maillot numéro 8 porté par Gary Carter. Il reste maintenant à placer un premier joueur des Expos au Temple de la renommée.

UNE ÉGLISE POUR MANOGUYABO

Chapitre 28

UNE ÉGLISE POUR MANOGUYABO

Lorsqu'en novembre 1993 les Expos ont échangé Delino DeShields contre un jeune lanceur inconnu, Pedro Martinez, les partisans des Expos ont explosé. « La pire transaction de l'histoire du club », a même écrit un quotidien local. Mais quand, en décembre 1997, les Expos ont échangé Pedro, qui allait devenir joueur autonome à la fin de 1998 et qui venait de remporter le trophée Cy-Young, leurs partisans ont carrément décroché des Expos.

En quatre étés, les amateurs de baseball locaux avaient observé l'éclosion d'une véritable supervedette, un lanceur qui vaut à lui seul le déplacement et dont chaque geste est un plaisir pour l'œil averti.

L'entraîneur Joe Kerrigan a été le premier à souligner, dès 1994, que les Expos avaient devant eux un potentiel rare. « Le Seigneur a donné à ce garçon un bras élastique, rarement fatigué, jamais endolori. Il ne nous reste qu'à lui apprendre à lancer. »

Sous le nom de Martinez, les Expos ont toujours inscrit « 5 pi 11 po et 170 livres » dans le livret remis chaque année aux journalistes. La taille est la bonne mais le poids se situe plutôt autour de 150 livres.

Toujours souriant, Martinez s'est vite fait remarquer à Montréal. Il voyageait en métro de son appartement du centre-ville au Stade olympique et descendait à la station Pie-IX accompagné d'un nombre toujours grandissant d'adolescents au milieu desquels il semblait tout à fait à sa place. Sa personnalité attachante lui a immédiatement valu une légion d'admirateurs. Quatre ans plus tard, alors qu'il lui était devenu impossible de voyager en métro, la jeune star des Expos prenait toujours plaisir à signer des autographes et à bavarder avec les gens qui l'attendaient aux portes du stade. Ce Pedro-là n'a jamais changé.

Les journalistes aussi ont remarqué que ce jeune Dominicain possédait une personnalité différente de celle de ses compatriotes. Pendant les longs moments d'attente, dans les aéroports, les avions et les autocars, Martinez lisait. Devant les journalistes, il répondait aux questions de manière claire et fort intéressante, évitant les clichés, dans un anglais beaucoup plus précis que celui des autres. Après ses grandes performances, les premiers commentaires portaient toujours sur ses coéquipiers et, quand venait le temps de parler de la vedette du jour, Martinez n'oubliait jamais sa belle modestie.

Mais le monde du baseball a du mal à consacrer des héros non américains, encore plus s'ils sont Noirs. Montréal aimait Pedro Martinez, mais certains groupes d'Américains réagissaient mal à chacune de ses erreurs. Le jeune Martinez lançait très fort, pas toujours où il le voulait, et il ne craignait pas de « tasser » les frappeurs adverses. La presse américaine l'a vite qualifié de « chasseur de têtes » et les officiels lui ont servi une série d'avertissements ainsi qu'une amende de 500 $. Le 13 avril 1994, à Montréal, un premier incident sérieux est survenu. Reggie Sanders, des Reds, a foncé vers le monticule après un lancer à l'intérieur de Martinez. Le gérant Felipe Alou a vu rouge. Ce soir-là, justement, son protégé montrait des premiers signes de grandeur. En huitième manche, il se dirigeait vers un match parfait. En début de neuvième, les Reds n'avaient pas obtenu un seul coup sûr. Les Expos l'ont finalement emporté 3-2. Deux bagarres générales ont éclaté mais, chaque fois, les joueurs des Expos ont protégé leur jeune coéquipier. La gentillesse de Martinez dans la vie de tous les jours, son esprit vif et sa bonne humeur les avaient séduits.

À travers les épreuves, l'athlète en profitait pour mûrir. En 1996, un remarquable changement de vitesse et une bonne courbe complétaient son répertoire et préparaient la saison exceptionnelle de 1997.

Un incident à Cincinnati, en juillet, allait montrer à tous qu'il n'était plus possible d'intimider le frêle Dominicain. Dans une région où l'ordre « blanc » est indiscutable et contre un des clubs les plus conservateurs du baseball, l'officiel Terry Tata a exigé, dès la première manche, que Martinez enlève le maillot qu'il portait sous son uniforme. Les manches trop larges indisposaient les joueurs des Reds, semble-t-il. Pendant que le gérant Felipe Alou rageait au milieu de l'avant-champ, Martinez a calmement changé sa tenue pour ensuite lancer neuf manches en accordant un seul coup sûr. « Ils ne comprennent pas que ce n'est pas le maillot qui lance, c'est moi… », a-t-il confié, tout bas, après le match.

Son plus bel exploit est survenu le 3 juin 1995 contre les Padres à San Diego. Martinez a retiré les 27 premiers frappeurs à lui faire face. Un match parfait. Mais le compte était de 0-0 et Mel Rojas a dû retirer trois autres frappeurs en 10e manche pour mériter la victoire de 1-0. Felipe Alou, le protecteur et principal conseiller de Martinez, a parlé avec émotion après le match : « Vous venez de voir un maître à l'œuvre. C'est un privilège pour moi que de diriger un athlète aussi talentueux, sérieux et courageux. »

Le Martinez de 1997 a remporté seulement 17 victoires (contre huit défaites) mais sa moyenne de points mérités de 1,90 a convaincu même les journalistes américains. Le meilleur lanceur de la Nationale, le Cy-Young de 1997, était un joueur des Expos et non pas l'une des quatre stars des Braves d'Atlanta. Chacun avait compris qu'avec un peu plus d'appui à l'offensive Pedro aurait pu remporter facilement 25 victoires.

Les Montréalais ont fortement blâmé le président Claude Brochu de n'avoir pu offrir de contrat à Martinez. Mais Brochu n'avait pas le choix : un contrat de 75 millions de dollars américains pour six ans ne s'inscrit pas dans les possibilités budgétaires des Expos. Le d.g. Jim Beattie a d'ailleurs émis un commentaire qui en dit long : « Des contrats comme celui-là constituent une source d'inquiétude pour un club comme le nôtre. »

Brochu aura commis une seule erreur dans le dossier : promettre, publiquement, un an plus tôt, que Martinez demeurerait à Montréal. Il n'avait pas prévu le trophée Cy-Young…

Mais les partisans du club ne sont pas sans reproche : le 10 septembre 1997, alors que Martinez, au sommet de son art, atteignait le chiffre magique de 300 retraits au bâton en une saison, seulement 10 139 personnes l'ont applaudi au Stade olympique. De quoi faire réfléchir les investisseurs éventuels.

Pedro Martinez s'est rendu en République dominicaine pour y célébrer son trophée Cy-Young avec ses frères Ramon et Jesus, deux lanceurs professionnels. Dans ce pays de huit millions d'habitants, les rues étaient couvertes de gens en fête au passage du nouveau héros national. « Je pourrais essayer de vous expliquer, mais je ne suis pas certain que vous pourriez comprendre ce que cela représente pour mon pays... »

Aux habitants de son village natal de Manoguyabo, Martinez a annoncé sa décision de financer personnellement la construction d'une nouvelle église.

« Sur le plan financier, ma vie a changé, mais sur le plan spirituel, je suis toujours le même Pedro. »

FELIPE : L'HOMME
À LA VOLONTÉ DE FER...

Chapitre 29

FELIPE : L'HOMME
À LA VOLONTÉ DE FER...

Claude Raymond a connu Felipe Alou comme coéquipier chez les Braves de Milwaukee, alors que le vieux club alignait une série de joueurs vedettes, dont Hank Aaron, le recordman des coups de circuit, et un autre puissant cogneur, Rico Carty.

Raymond raconte encore avec émotion un incident qui s'est produit dans le vestiaire du club il y a quelque 30 ans : « Carty était un costaud, un ancien champion boxeur poids lourd de Porto Rico. Il était jaloux d'Aaron, parce que ce dernier obtenait plus de publicité que lui. Carty avait une grande gueule et il prenait plaisir à ridiculiser Aaron devant tout le monde. L'autre était un petit homme timide qui parlait très peu et qui avait du mal à se défendre.

« Un jour, Felipe s'est levé de son siège, il s'est rendu devant le casier de Carty et lui a dit, en le regardant droit dans les yeux : "Tu laisses Aaron tranquille ou bien nous sortons tous les deux dans le stationnement et je te ferme la gueule pour de bon." Carty n'a pas bougé et il n'a plus jamais taquiné Aaron. Voilà quel genre d'homme est Felipe Alou. »

Le gérant des Expos émet un grognement quand on lui rappelle l'épisode. « J'avais l'habitude d'avertir les gens qui me poussaient à bout : "Nous allons partir tous les deux et seulement un

231

en sortira vivant. Je ne sais pas lequel, mais seulement un des deux reviendra, je te le promets." »

Derrière les manières calmes et les propos réfléchis de Felipe Alou, il y a une volonté de fer. Les joueurs qui passent par son bureau pour un échange en tête à tête en sortent souvent transformés. L'homme s'est adapté aux nouvelles données du baseball moderne et il sait se faire convaincant en utilisant, surtout auprès des jeunes joueurs, un langage que tous comprennent : performances = dollars.

Si une recrue a la tête ou la conduite un peu légère, la sagesse fait place à un discours plus « paternel ». Son neveu Mel Rojas, comme la plupart des nombreux jeunes Dominicains de l'organisation des Expos, a eu droit à quelques sermons musclés.

Le receveur Darrin Fletcher raconte : « Mel lançait mollement ce jour-là, alors que le match était en jeu. Felipe s'est amené au monticule et lui a demandé tranquillement s'il se sentait bien, s'il était malade. Rojas a répondu que tout allait bien, et c'est à ce moment que Felipe est passé à l'espagnol. Je n'ai rien compris mais je devinais facilement. Felipe avait un air féroce et j'ai vu un peu de panique dans les yeux de Rojas. Il a ensuite retiré les deux frappeurs suivants pour mettre fin au match et protéger la victoire. »

Par le raisonnement ou la rigueur, Felipe Alou réussit chaque été à faire des Expos un équipe compétitive malgré l'absence de vétérans et de joueurs vedettes. Sans lui, la concession de Claude Brochu ne serait peut-être plus en vie. Lors des matchs d'ouverture des Expos, la foule se lève de son siège pour saluer un seul homme, le gérant, et elle a bien raison.

En 1994, les talents extraordinaires de Felipe Alou ont finalement été reconnus alors qu'il devenait le premier non-Américain à mériter le titre de gérant par excellence du baseball majeur.

Les Expos comptaient sur le meilleur homme... mais ils n'avaient pas de quoi se vanter. Alou traînait dans les filiales du club depuis 1976, où il a réalisé de petits miracles à tous les niveaux. Toujours un pas d'avance sur le gérant d'en face, disent les joueurs qui ont travaillé sous ses ordres... ainsi que certains adversaires. Les milieux du baseball savaient depuis longtemps qu'un homme de baseball de premier ordre gaspillait son savoir dans les mineures.

Lorsque Dave Dombrowski a congédié Buck Rodgers en juin 1991, la direction des Expos a une fois de plus ignoré Alou pour embaucher le triste Tom Runnells. Il aura fallu un désastre pour qu'on fasse enfin une offre au meilleur gérant de l'organisation. Et encore là, on l'a nommé gérant intérimaire. Alou a quitté sa maison en Floride et s'est amené à Montréal avec un petit sourire en coin. On allait voir ce qu'on allait voir…

Les Expos ont immédiatement changé leur façon de faire : des formations nouvelles à tous les jours, des jeunes talents qui se mettent à produire plus tôt que prévu, des joueurs marginaux recyclés et placés dans des positions d'importance, tous impliqués… la liste de belles surprises s'allonge chaque année. Avec Felipe Alou à leur tête, les Expos sont redevenus une des équipes les plus excitantes et dangereuses de la Ligue nationale.

Mais le gérant n'oublie pas les injustices qu'il a vues et dont il a parfois été victime.

« À mes débuts chez les professionnels, j'ai été assigné à une équipe de la Géorgie. Une fois arrivé au stade, on m'a dit que les Noirs n'avaient pas le droit d'y entrer. J'ai repris ma valise et je me suis rendu dans un autre État pour y chercher du travail. »

Les souvenirs sont nombreux…

« Mon véritable nom est Felipe Alou Rojas, Alou étant le nom de ma mère. Quand je suis arrivé aux États-Unis, des publicistes ont décidé que je m'appellerais Alou et ils ont biffé Rojas. Ils croyaient que ça sonnerait mieux aux oreilles des clients. Je ne parlais pas assez bien l'anglais pour me défendre…

« Chez les Braves d'Atlanta, le propriétaire du club avait promis un bonus de 100 000 $ à Eddie Matthews s'il réduisait son poids avant le début du camp d'entraînement. C'était plus que mon salaire pour toute la saison ! Et moi qui faisais très attention à ma condition physique, j'étais toujours dans ma meilleure forme pour commencer la saison… »

L'antiaméricanisme demeure présent dans le discours de Felipe Alou, qui était enfant quand les Marines ont envahi et occupé son pays. « Je n'ai jamais oublié cet épisode humiliant. Je me souviens du regard des soldats américains qui passaient devant notre maison… »

En 1996, pendant l'une des savoureuses conférences de presse quotidiennes d'Alou, un groupe de journalistes discutaient d'un virus prétendument « australien » qui causait d'énormes dégâts dans les porcheries des États-Unis. Le commentaire de Felipe : « Avez-vous remarqué que tout ce qui est mauvais vient des autres pays ? La grippe espagnole, le froid qui descend du Canada, le virus du SIDA qui serait africain, ce nouveau virus qui tue les porcs… Tous ces malheurs ne peuvent pas être américains, n'est-ce pas ? »

Le ton monte à un niveau inquiétant après l'arrivée de Pedro Martinez, Dominicain lui aussi. Le jeune homme lançait déjà sa redoutable rapide mais il avait des problèmes de précision. Martinez a atteint quelques frappeurs, et les officiels lui ont adressé plusieurs reproches, sur le terrain et dans les médias. Selon le gérant des Expos, le ton cassant et les menaces des officiels étaient de trop.

Des bagarres ont éclaté entre les Expos et leurs adversaires quand Martinez insistait pour nettoyer l'intérieur du marbre, un droit reconnu à tout lanceur. Les bancs se sont vidés en deux occasions, et Alou n'a pas tenté de retenir ses joueurs. Après quelques minutes de mêlée, il sortait de son abri calmement, se rendait directement devant l'arbitre et l'engueulait sans retenue. Les gérants et joueurs adverses avaient aussi droit à des flèches.

« S'il s'agissait de Greg Maddux ou d'un de leurs lanceurs préférés, personne n'en ferait de cas. Mais Pedro est un petit Noir des Îles, même pas citoyen américain, alors on s'acharne sur lui, on ne tolère rien. Tout ça saute aux yeux, ne nous racontons pas d'histoire. »

Pendant que les journalistes montréalais se régalaient, leurs confrères américains et même les dirigeants des Expos étaient mal à l'aise devant le franc parler et l'intransigeance du gérant.

Avec le temps, Pedro Martinez a fait taire l'establishment du baseball — au point de mériter, contre toute attente, le trophée Cy-Young — et donné raison à son protecteur.

La grève du baseball qui a mis fin à la saison 1994 nous rappellera toujours le rendez-vous manqué par Felipe Alou et toute l'organisation des Expos. Mené par Larry Walker, Marquis Grissom, Moises Alou, Wil Cordero, Pedro Martinez, Ken Hill, Jeff Fassero et John Wetteland, le club de Montréal se dirigeait probablement vers la Série mondiale. Avec six matchs d'avance sur les Braves d'Atlanta et une confiance qui grandissait de jour en jour, les jeunes Expos attiraient des foules de 40 000 personnes et plus au Stade olympique pour chaque match de week-end. Ils battaient les millionnaires des autres clubs avec une belle régularité, et le baseball avait retrouvé à Montréal une place de choix.

On connaît la suite : l'arrêt de travail a coûté une petite fortune au club en plus de causer un énorme manque à gagner sur le plan du prestige. Plusieurs ventes de feu ont suivi, et l'intérêt des partisans continue à baisser.

Au camp d'entraînement de 1998, Felipe Alou était serein en observant la nouvelle cuvée de recrues.

« Je suis ici à cause de jeunes comme Guerrero, Fulmer, Seguignol, Widger, Pavano... Ils sont intéressants, non ? »

LE DERNIER DÉFI
DE CLAUDE BROCHU

Chapitre 30

LE DERNIER DÉFI
DE CLAUDE BROCHU

Le 16 septembre 1991, le Stade olympique était fermé « indéfiniment » après la chute de plusieurs tonnes de béton sur un trottoir en plein jour. Les Expos se voyaient forcés de disputer le reste de leurs matchs, dont 11 prévus à domicile, sur des terrains étrangers, et le président de la Ligue nationale de baseball, Bill White, a vite fait savoir à Claude Brochu ce qu'il en pensait : « Sortons ce club de Montréal pour de bon. »

« White était furieux, se souvient le président des Expos. Les problèmes du stade l'inquiétaient depuis longtemps. Il entendait parler lui aussi du manque d'ambiance dans un édifice mal adapté au baseball, de notre relation difficile avec la RIO, des maigres revenus et voilà qu'en plus des nombreuses déchirures dans la toile, le béton commençait à céder. Pour les dirigeants du baseball, les nouvelles en provenance de Montréal continuaient d'être mauvaises. »

La décision de fermer le stade a été prise par le ministre André Vallerand, responsable du dossier à Québec, ce qui rendait la position de Brochu encore plus inconfortable.

« Et puis nous étions en dernière place après avoir remplacé le gérant Buck Rodgers par Tom Runnells. Nous nous trouvions au milieu d'un désastre complet... »

Le président des Expos a réussi à calmer Bill White. Brochu n'en était pas à ses premières batailles pour défendre le club. Dès 1990, quand Charles Bronfman a vendu toutes ses parts, l'establishment du baseball majeur a songé à déménager les Expos.

« J'ai dit à White de me laisser agir. De mon côté, j'ai surtout pensé à nos partisans. Reviendraient-ils dans un stade considéré comme dangereux ? S'il n'y a plus de spectateurs dans les gradins, ce problème devient le plus important. Plusieurs personnes ont profité de la situation pour nous dénigrer. »

Deux semaines plus tard, le Stade olympique était réparé et déclaré « sécuritaire ». C'est dans ce climat malsain que les Expos ont préparé la campagne de vente de billets pour la saison suivante. Brochu a fait preuve de beaucoup de détermination et de patience face à toutes les difficultés des Expos, mais certaines attaques lui ont déplu.

« Les rumeurs de déménagement et les critiques négatives ne cessent jamais et nous rendent la vie infernale. Nos partisans, nos commanditaires ainsi que toute la communauté d'affaires ont constamment des doutes à notre sujet. Et nous n'avons jamais obtenu d'appui de la part de nos partenaires de la Ligue nationale. »

En janvier 1994, le propriétaire des Yankees de New York, George Steinbrenner, qui s'oppose avec tout son prestige au partage des revenus, a déclaré publiquement qu'il refuserait toujours de verser de l'argent aux Expos. Six mois plus tard, il accusait les partisans montréalais de ne pas apprécier leur équipe. En 1997, Steinbrenner revenait à la charge, mettant encore en doute la pertinence de garder les Expos à Montréal.

Mais la saison 1994 allait apporter un peu de réconfort à Claude Brochu, jusqu'à ce que les joueurs de baseball déclarent la grève, le 12 août, alors que son équipe était en voie de réaliser la meilleure performance de son histoire. Un autre coup terrible…

« Nous avons perdu 15,5 millions de dollars canadiens à cause de cette grève, mais nous avons encore plus souffert sur le plan émotif. Nous savions que notre équipe était la meilleure. Tous les espoirs étaient permis. Mais nous avons tout perdu, nos partisans, nos joueurs, notre moral… »

Lorsque les propriétaires d'équipe et l'Association des joueurs ont résolu d'entreprendre la saison 1995 sans entente, Brochu a décidé de diminuer la masse salariale du club. Larry Walker, devenu joueur autonome, n'a pas obtenu des Expos l'argent qu'il demandait. John Wetteland, Ken Hill et Marquis Grissom ont été échangés contre de jeunes espoirs des ligues mineures.

Peu après le départ de ces quatre vedettes, une rumeur a circulé dans les milieux du baseball : un groupe d'hommes d'affaires de Virginie aurait contacté le président des Expos dans le but d'acheter le club et de le déménager. Les deux parties ont tout nié à l'époque, mais Brochu a avoué un an plus tard qu'il y avait eu des « conversations ».

Ce même homme a sauvé la concession montréalaise en 1990-1991. En fin de saison 1989, après avoir longtemps mené le classement, les Expos s'étaient effondrés, menant Charles Bronfman à sa décision de mettre l'équipe en vente. Bronfman avait embauché à grand prix le lanceur Mark Langston, qui avait déçu.

« Voilà un autre épisode douloureux », se souvient Brochu, qui était à l'époque employé par Bronfman.

« Notre équipe jouait très bien, tout fonctionnait, mais en août, plus rien. Une débandade terrible. Nos joueurs ne supportaient pas la pression. C'est à ce moment que Charles a perdu son amour du baseball. Il a dit : "Cette fois, ça y est, je lâche tout." Je croyais qu'il s'en remettrait, mais sa décision n'a pas changé. Je lui ai demandé la permission de m'associer à Jacques Ménard, le président de la firme de placements Burns Fry, pour tenter d'amasser des fonds. »

Brochu et Ménard ont d'abord essuyé des refus de la part de plusieurs hommes d'affaires influents, dont Paul Desmarais, le président de Power Corporation.

« Après un an de recherches, après avoir consulté une centaine d'entreprises au Québec, à Ottawa et à Toronto, nous n'avions rien. L'économie était en pleine récession, et l'échec de l'accord du lac Meech inquiétait le milieu des affaires. »

Les deux hommes n'ont pas abandonné et ils ont finalement réuni un groupe d'investisseurs capables d'acheter les Expos. Le prix de Bronfman : 100 millions de dollars canadiens. Le 11 avril 1991, la somme était réunie par une dizaine de groupes financiers, ainsi que le gouvernement du Québec, qui a consenti un prêt de 18 millions de dollars.

Mais la grève du baseball en 1994 a remis la concession des Expos en péril. D'autres joueurs vedettes ont été libérés ou échangés, et les partisans ont déserté les gradins du Stade olympique.

En 1997, Claude Brochu, l'homme de tous les combats, soumettait un projet audacieux : la construction d'un stade de baseball, une stade conçu pour ce sport uniquement, au centre-ville de Montréal, à quelques pas du gigantesque Centre Molson bâti par le Club de hockey Canadien et la Brasserie Molson. Le président des Expos repartait à la recherche d'investisseurs, comme en 1990...

Peu de gens ont alors cru au sérieux de ses intentions. L'exemple des Nordiques de Québec, vendus en 1995 par Marcel Aubut à un groupe du Colorado, était toujours frais dans les mémoires.

Mais Claude Brochu a survécu à plusieurs crises au cours de ses 10 premières années à titre de président des Expos. Son optimisme, son don de persuasion et son énorme capacité de travail demeuraient intacts face à ce nouveau défi.

À Québec, où les politiciens provinciaux ont toujours entretenu une certaine méfiance face à la ville de Montréal, cette métropole cosmopolite et à moitié anglophone, la résistance a été farouche, d'autant plus qu'une large part du public, négligé et mal informé par la direction des Expos, se montrait hostile à toute aide financière gouvernementale.

Dans des pages sportives qui ressemblaient souvent à des pages financières, Claude Brochu, parfois habile, parfois gauche et toujours discret sur l'évolution du dossier, s'est débattu alors que l'appui des milieux financiers et du public tardait à se manifester avec l'ampleur souhaitée.

Pour le président des Expos, l'année 1998 aura été déterminante quant à son avenir personnel et à la place qu'occupera son nom dans l'histoire du baseball à Montréal.

Achevé d'imprimer
en octobre 1998 sur les presses
de AGMV Marquis